*KU-353-788*

*Haltet die Uhren an. Vergeßt die Zeit. Ich will euch
Geschichten erzählen. Wir wollen in der Zeit zurück
und vorwärts wandern, Vergangenheit und Gegenwart
durchstreifen und manchmal Blicke in die Zukunft tun.
Die 101 Geschichtentage meines Lebens, an denen ich
Geschichten hörte oder auch erzählte, sie werden euch
hier nacherzählt, vom ersten bis zum hundertsten
Tag.*

*Der Ort, an dem ich die Geschichten in die richtige
Reihenfolge bringe, ist eine Insel vor der Küste Afrikas.
Hier waren einmal, so sagt man, die Glücklichen Inseln.
Hier, heißt es, lagen die Gärten der Hesperiden, aus
denen Herkules die goldenen Äpfel stahl. Hier war die*

Zeit stets anders als woanders. Hier lief man noch in Ziegenfellen oder Lendenschürzen, als Herr Kolumbus, reich gekleidet, von diesen Inseln aus Amerika entdeckte. Hier zählt die Zeit nach schönen Augenblicken. Drum haltet eure Uhren an. Vergeßt die Zeit. Ich will euch Geschichten erzählen.

Ich sehe euch, wie ihr euch unter mir, im Tal der Palmen, von allen Seiten her versammelt. Ich sehe euch, wie ihr euch auf die Felsen setzt, erwartungsvoll. Ich sehe euch sitzen mit baumelnden Beinen auf der anderen Seite der Schlucht, in mein Gehäuse auf dem Dache niederblickend mit gespannten Mienen. Auch auf den Mauern und Terrassen meines Hauses sehe ich euch sitzen, und alle Fenster meiner Bücherbude sind für euch geöffnet. Der Tag ist schön. Die Kaktusfeigen blühen. Und wenn ein Dröhnen euch erschreckt, dann ist es nur der Fischmann: Er bläst auf seiner Muschel und zieht weiter.

Wenn aber über dem Tal der Mond aufgeht, schlaft ein: Ihr werdet euch in euren eigenen Betten wiederfinden. Doch wollt ihr wiederkommen, dann schlagt die Bücher der 101 Geschichten auf. Dann sitzt ihr wieder unter oder über mir im Tal und auf den Felsen, und heute ist gestern, und gestern ist heute.

Vergeßt die Zeit, die man Geschichte nennt. Taucht ein in die Zeit der Geschichten. Auch ich vergesse die Zeit. Ich sitze unter euch, acht Jahre alt, ein Kind unter Kindern. Kommt mit zu einem Leuchtturm in der Nordsee und laßt euch die Geschichten des fünften bis siebenten Tages erzählen.

Fragt ihr aber, wen ihr wohl auf dem Leuchtturm trefft, dann wißt, daß es interessante Leute sind, und lest:

# Gäste auf den Hummerklippen

Weitere Geschichten
vom Wünschen, Träumen und Reisen

Vom fünften bis zum siebenten Tag
erzählt von
James Krüss
und mit Bildern versehen von
Rolf Rettich

Otto Maier Ravensburg

DER FÜNFTE TAG, AN DEM ICH AUS GEGEBENEM ANLASS DIE BALLADE VON LEIF ERIKSSON, DEM AMERIKAFAHRER, HÖRE, M. M. ZWEI WEITERE ABENTEUER VON TETJUS TIMM AUFSAGE, JOHANN BEIM ENTZIFFERN EINER TRAURIGEN FLASCHENPOST HELFE UND DIE SCHÖNE GESCHICHTE VOM TAL DER GOLDENEN HÖRNER VERNEHME. BEGRÜSST TANTE JULIE UND DAPPI ALS LEUCHTTURMGÄSTE, LÄSST BALLADEN VON VERSUNKENEN STÄDTEN UND DAS ERSTE ABENTEUER VON HANS HOCHHINAUS HÖREN UND REIZT AM SCHLUSS ZUM NACHDENKEN ÜBER DIE MAUS IM WOHNZIMMER.

In alten Zeiten, als das Wünschen noch geholfen hat, war ich noch nicht geboren. Als ich zur Welt kam, half das Wünschen schon nichts mehr. Nur einmal hat es mir wohl doch geholfen. Das war, als ich acht Jahre alt war. Da wünschte ich an einem Tag im Winter, als ein Wikingerschiff, aber ein nachgebautes, mit rot und weißen Segeln an der Insel Helgoland vorbeifuhr, daß ich auch übers große Meer fortfahren dürfe.

Als es dann Sommer war, fuhr ich tatsächlich über das Meer. Der Bootsmechaniker Dappi Lorenzen fuhr mich im Boot von meiner Heimatinsel Helgoland über die Nordsee zu dem Leuchtturm auf den Hummerklippen, auf dem der Leuchtturmwärter Johann hieß. Der lebte allein im weißen Turm, in dessen Zimmer man von einer Außenleiter einstieg.

Was ich hier in den ersten vier Tagen erlebte, ist in dem Buche »Sommer auf den Hummerklippen« aufgeschrieben. Ich habe in dem Buch erzählt, wie ich den merkwürdigen eingesperrten Herrn M. M. dort kennenlernte, einen Privattaucher, der wild war auf Geschichten. Dem trug ich eine Versgeschichte vor, die Chronik von dem Abenteurer Tetjus Timm. Dafür sang Herr M. M. mir einige Räuberlieder vor. Er saß dabei in seinem kleinen Kerker. Ich hockte dagegen draußen auf den Hummerklippen.

Erzählt habe ich auch, wie wir mit der Barkasse Johanns zu einem kleinen Dampfer hinüberfuhren, der immer Post und Lebensmittel für den Leuchtturmwärter brachte.

Erzählt habe ich dann, wie eine weiße Yacht zum Leuchtturm kam. Mit dieser Yacht kam Ebby Schaumschläger zum Leuchtturm, ein unterhaltsamer Mann; und mit ihm kamen die zwei Oudeklerks, ein Ehepaar aus Holland, dem die Yacht gehörte.

Erzählt habe ich schließlich auch, wie wir einen verrückten schönen Tag, teils auf der Yacht, teils auf dem Turm verbrachten und wie ich danach selig und müde eingeschlafen bin.

Als ich am nächsten Tag – es war der fünfte Tag – mit Johann in der Küche frühstückte und nicht, so wie am Vortag, unten auf den Hummerklippen mit Ebby Schaumschläger und mit den Oudeklerks, da dachte ich: »So ein unerwarteter Besuch wie gestern ist eigentlich auch ein Abenteuer. Jetzt, da wir wieder zu zweit in der Küche frühstücken, finde ich es schon ein bißchen langweilig im Vergleich zu gestern.«

Johann, der immerhin schon einundfünfzig Jahre alt war, schien ganz anders zu denken. Er sagte nämlich: »So unterhaltsam Ebby Schaumschläger auch ist, Boy: Nach seinem Besuch bin ich immer froh, daß alles wieder seinen geregelten Gang geht. Wer sich wie ich ans Leuchtturmleben gewöhnt hat, den erschrecken unerwartete Sachen – wie zum Beispiel das Wikingerschiff dort.« Johann zeigte aus dem Fenster und fuhr fort: »Wenn ich nicht zufällig in der Zeitung gelesen hätte, daß das nachgebaute Wikingerschiff in diesen Tagen von seiner Amerikareise zurückkommt, dann hätte ich bei seinem Anblick sicher einen tüchtigen Schreck bekommen.«

Noch während Johann sprach, war ich aufgesprungen und hinausgelaufen auf den Balkon. Das, was Johann nicht erschreckte, weil er davon in der Zeitung gelesen hatte, erschreckte mich doch ein bißchen. Denn das hochgeschnäbelte Schiff, das da mit rot-weiß gestreiften Segeln vorbeizog, war ja das Schiff, das auch an Helgoland vorbeigesegelt war, an jenem Wintermorgen nämlich, an dem ich meinen Wunsch getan hatte. Und nun war dieser Wunsch, über das große Meer zu fahren, tatsächlich erfüllt. Ich stand, entfernt von Helgoland, auf einem Leuchtturm mitten in der See; und jenes Schiff, das meinen Wunsch vielleicht davongetragen hatte, fuhr nun, da dieser Wunsch erfüllt war, wieder heim nach Dänemark. Ich summte das Lied, das Dappi mir bei der Herfahrt vorgesungen hatte: Die Wünsche sind wie Wolken, sie fliegen hin und her…

Inzwischen war auch Johann auf den Balkon hinausgetreten, und zwar gerade in dem Augenblick, in dem am Mast des Schiffes die Fahne niederging und danach wieder aufgezogen wurde. Es war ein Gruß für den Leuchtturm. Johann nahm daher das Megaphon, das er schon mit herausgenommen hatte, an den Mund und rief über das Wasser: »Glückliche Heimkehr, Wikinger!«

Kurz darauf tönte es zurück: »Glücklichen Sommer auf den Hummerklippen!«

Lange noch sahen wir dem schönen Schiffe nach, das langsam kleiner wurde, bis es als ferner Punkt im Grau des Meeres unterging.

»Solche Schiffe, Boy, sind zu ihrer Zeit bis nach Amerika gefahren«, sagte Johann, als wir wieder in der

Küche saßen und weiterfrühstückten. »Habt ihr Leif Eriksson schon in der Schule durchgenommen?«

»Nein«, sagte ich. »Ich gehe ja erst in die dritte Klasse. Aber ich weiß von den großen Jungen aus der Mittelschule, daß die alten Wikinger bis nach Amerika gefahren sind.«

»Und einer von ihnen, Boy, war Leif Eriksson, der Sohn von Erik dem Roten. Es gibt eine alte Ballade über ihn. Kannst du zum Frühstück schon Gedichte vertragen?«

»Natürlich«, sagte ich. »Mein Urgroßvater und ich, wir beiden Spinner in unserer Familie, können zu jeder Tageszeit Gedichte vertragen.«

»Das ist fein, Boy. Dann hör her.«

Johann rückte seinen Stuhl etwas vom Tisch ab, schlug ein Bein über das andere und sagte mir auf:

### Die Ballade von Leif Eriksson, dem Amerikafahrer

Leif Eriksson kam von Grönland her
Und fuhr nach Südwesten über das Meer.

So kam er mit fünfunddreißig Mann
An einer fremden Küste an.

Er nannte sie, weil er dort Steinplatten fand,
Das Plattenland oder: Helluland.

Als er weiter den Weg nach Süden nahm,
Leif Eriksson auch nach Vinland kam.

Wild, hieß es, wüchse der Weinstock da.
Doch Leif Eriksson war – in Amerika.

9

Er baute ein Langhaus an diesem Ort
Und baute auch eine Schmiede dort.

Seine Mannen auch bauten sich Haus um Haus
Und zogen zum Fischen und Jagen aus.

Die großen Männer, so blond wie Flachs,
Sie jagten das Ren, und sie fischten den Lachs.

Und abends am Feuer sprachen sie
Von den Höfen in Grönland, von Korn und Vieh.

Und mancher sehnte die Seinen her
In dieses Vinland, von Menschen leer.

Doch eines Tages ward ihnen klar,
Daß Vinland längst schon besiedelt war.

Sie trafen Menschen, behend und klein,
Und tauschten bei ihnen Pelze ein.

Skraelinger, Schreier, nannten sie die,
Vielleicht, weil dies Volk beim Angriff schrie.

Denn Angriff und Abwehr, Zank und Streit,
Das alles begann schon nach kurzer Zeit.

Einem Skraeling, der eine Waffe geraubt,
Dem trennte ein Viking den Rumpf vom Haupt.

Da fing, was als friedlicher Tausch begann,
Bald Krieg und Fehde zu werden an.

Leif Eriksson ließ einen festen Zaun
Aus Palisaden ums Lager baun.

Nun konnten sie nicht mehr irgendwo
Ausziehen zum Fischen und Jagen froh.

Nun gab es viel seltener Jagd und Spiel.
Nun mußten sie wachen und kämpfen viel.

Und als so Winter um Winter verging,
Leif Eriksson an zu träumen fing:

»Nun, da ich älter und müde bin,
Nun zieht's mich wieder nach Grönland hin.

Ich möchte vor dem Vondannengehn
Den Hof der Väter noch einmal sehn.«

Und Leif Eriksson fuhr von Vinland her
Fort nach Nordosten über das Meer.

Von seiner Ausfahrt ohne Glück
Kam Leif Eriksson müde nach Grönland zurück.

In Grönland liegt er begraben. Er sah
Lang vor Kolumbus Amerika.

Als Johann das Gedicht beendet hatte, sagte ich: »Die
klingt hübsch altmodisch, diese Ballade. Wann war denn
das, als Leif Eriksson in Amerika war?«

»Um das Jahr tausend nach Christus, Boy, also vor
beinahe tausend Jahren, ein halbes Jahrtausend, bevor
Kolumbus nach Amerika kam.«

»Und die Wikinger sind nicht dort geblieben?«

»Nein, Boy. Leif und seine Leute waren Menschen, die in Einzelhöfen lebten. Sie kamen mit den Eingeborenen, die in Vinland lebten – wahrscheinlich auf der heutigen Halbinsel Labrador in Kanada –, einfach nicht zurecht.«

»Und was waren das für Leute?« fragte ich.

»Höchstwahrscheinlich Eskimos«, sagte Johann. »Auch heute leben ja noch Eskimos auf Labrador.«

»Und sind die Wikinger auch in andere Gegenden gefahren, Johann?«

»Aber ja doch, Boy, nach Rußland und nach Griechenland, Italien und Frankreich.«

»Und warum sind Leute, die auf festen Höfen gelebt haben, auf Abenteuer ausgezogen?« fragte ich.

»Dort, wo sie hergekommen sind, in Skandinavien irgendwo, dort gab es eines Tages zu viele Kinder und zu wenig Brot.«

»Dann kann man also auch aus Not ein Abenteurer werden, Johann?«

»Aber natürlich, Boy. Millionen Menschen in der Weltgeschichte wurden aus purer Not zu Abenteurern. Aber laß uns darüber später weiterreden. Dappi kommt heute mit Ersatzteilen zurück. Und ich muß einiges noch vorbereiten, damit er morgen früh gleich mit der Arbeit beginnen kann. Was tust du inzwischen?«

»Ich füttere Seenelken«, sagte ich, »und ich bade vielleicht ein bißchen.«

»Aber dann nur im Molenbecken, Boy. Draußen im Meer gibt's Haie.«

Ich versprach Johann, nicht ins offene Meer hinauszuschwimmen (wovor ich ja auch selbst Angst hatte), und kletterte dann über die Leiter hinunter auf die Klippen, während Johann zur Kuppel hinaufkletterte.

Unten auf den Klippen begab ich mich sogleich zum steinernen Sitz neben der Eisentür; denn ich hatte M. M.

ja versprochen, ihm die nächsten beiden Abenteuer von
Tetjus Timm aufzusagen.

M. M. erwartete mich schon, wie es schien. Er fragte
nämlich ohne jede Begrüßung: »Was war das für ein
Schiff, mit dem Johann Rufe gewechselt hat?«

»Das war ein nachgebautes Wikingerschiff«, sagte ich.
»Guten Morgen, M. M.«

»Unglaublich«, schnaufte M. M.

»Was ist denn unglaublich?« fragte ich.

»Daß ich hier eingesperrt sitze, Boy, und draußen fährt
ein Wikingerschiff vorbei.«

»Sie brauchen doch nur zu versprechen, keine Streiche
zu machen, M. M.«, sagte ich. »Dann sind Sie wieder
frei.«

»Das kann ich aber nicht versprechen«, kam es von
hinter der Tür.

»Dann können Sie auch keine Wikingerschiffe sehen,
M. M.«

»Das ist ja das Unglaubliche, Boy«, schnaufte M. M.
zum zweitenmal. »Kannst du mir zur Beruhigung wenig-

stens die nächsten Abenteuer von Tetjus Timm aufsagen?«

»Ja«, sagte ich. »Das kann ich. Johann hat nämlich oben im Turm zu tun.«

»Ausgezeichnet, Boy. Dann stell ich meinen Schemel an die Tür, und du kannst anfangen.«

Ich hörte, wie der Schemel verrückt wurde und wie M. M. sich darauf niederließ. Da stand ich auf und sagte, wieder hübsch mit dem Titel, die nächsten Abenteuer auf:

**Tetjus Timm**
*Die abenteuerliche Chronik seines Lebens*
*zu Lande, zu Wasser und in der Luft*

**Fünftes Abenteuer**
**Nach Island**

Tetjus Timm mit seinem Freunde
Nanuch von den Eskimos
Fuhr mit seinem alten Dampfer
Hoffnungsfroh nach Süden los.

Als es Nacht wird, halten Tetjus
Und der Nanuch wechselnd Wacht;
Und dann tagt der erste Morgen
Nach der ersten Seemannsnacht.

Aber ist der Kurs auch richtig?
Tetjus fühlt sich blümerant.
Da entdeckt der kleine Nanuch
In der Ferne grünes Land.
Fröhlich fängt er an zu schrein:
»Tetjus, das muß Island sein!«

Ja, es ist die Insel Island
Mit den Quellen siedendheiß,
Mit den Bergen, mit den Schafen,
Mit den Ponys schwarz und weiß.

Und umjubelt von den Leuten,
Welche laut willkommen schrein,
Fährt der Dampfer »Mary Island«
Irgendwo in Island ein.

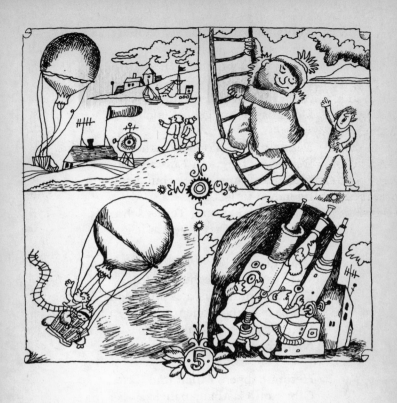

Aber als die Weltumsegler
Übers Fallreep gehn an Land,
Steht dort schon ein Schiffsvertreter
Mit Papieren in der Hand.
Anfangs grüßt er unsre zwei
Von der Dampfer-Reederei.

Aber dann nimmt er den Dampfer
Streng und amtlich in Beschlag,
Der so lange Zeit verlassen
In dem Eis des Nordens lag.

Tetjus und dem Nanuch gibt er
Ein gesalznes Seehundsfell,
Weint ein Tränlein, weil's ihn dauert,
Und sagt dann: »Verschwindet schnell.
Zwar ihr tatet eure Pflicht;
Doch das Schiff gehört euch nicht.«

Tetjus fragt: »Wohin so schnelle?«
Denn was fängt ein Fahrensmann
Mit 'nem lumpigen Seehundsfelle
Irgendwo in Island an?
Nanuch seufzt, und Tetjus schnauft.
Ob er wohl das Fell verkauft?

Ja, es glückt: Bei einem Händler
Wird er seinen Seehund quitt,
Und er nimmt aus diesem Laden
Ein paar Islandkronen mit.
Heiter sagt er: »Dankeschön!
Nanuch, laß uns essen gehn.«

Heringshappen, Milch und Käse
Gibt's im Gasthaus nahebei.
Und dort sieht man in der Ecke
Fröhlich tafeln unsre zwei.
Danach zahlen sie; und dann
Schauen sie sich Island an.

Rüstig wandernd finden beide
Eine Wetterdienst-Station;
Und dort schwebt an einem Seile
In der Luft ein Gasballon.

Eine Leiter hängt am Korbe.
Und der Nanuch steigt sofort
Auf der Leiter in die Höhe
Und zum Gasballon an Bord.
Tetjus sieht ihm zu und lacht
Und gibt nicht aufs Wetter acht.

Ach, da kommt mit einem Male
Angefegt ein Wirbelwind.
Tetjus, nun gib acht und rette
Das dir anvertraute Kind!
Auf zum Korb steigt Tetjus fix.
Doch es nützt ihm leider nix.
Mit dem großen Gasballon
Wirbeln alle zwei davon.

Kreisend wie ein Schiffspropeller
Und mit unerhörtem Drall,
Fliegen beide, schnell und schneller,
Pfeilgerad hinauf ins All.
Schon versinkt die Erde und
Wird ganz klein und kugelrund.

Viele, viele Wetterforscher
Werden aus dem Ding nicht klug
Und verfolgen mit dem Fernrohr
Den raketenhaften Flug.
Solch ein Flug ist fabelhaft
Für die ganze Wissenschaft.

Nur für Tetjus und für Nanuch
Ist das alles kein Pläsier.
Tetjus' sechstes Abenteuer,
Lieber Leser, zeigt es dir.

Als ich nach dem Aufsagen des Island-Abenteuers eine Pause machte, hörte ich M. M. hinter der Eisentür rufen: »Weiter, weiter! Du kannst doch nicht mitten im spannendsten Augenblick einfach aufhören, Boy!«

»Will ich auch gar nicht, M. M.«, sagte ich. »Aber zwischen zwei Abenteuern gehört es sich, eine Pause zu machen.«

»Und diese Pause ist jetzt lang genug«, sagte M. M. »Weiter im Text, Boy.«

Da sagte ich auf:

### Sechstes Abenteuer
### In Afrika

Tetjus Timm, der brave Seemann,
Ist von Island irgendwo
Mit dem Nanuch fortgeflogen,
Einem jungen Eskimo.

Um- und um- und umgewirbelt
Und benommen wie im Traum,
Geht's mit einem Gasballone
Aufwärts in den Sternenraum.
Tetjus schaut, erschreckt und stumm,
Sich im schwanken Korbe um.

Da entdeckt er auf dem Boden
Flugraketen, klein und groß.
Und es kommt ihm ein Gedanke,
Ein Gedanke ganz famos.
Tetjus sagt sich: »Überall
Stoppt man Drall durch Gegendrall.«

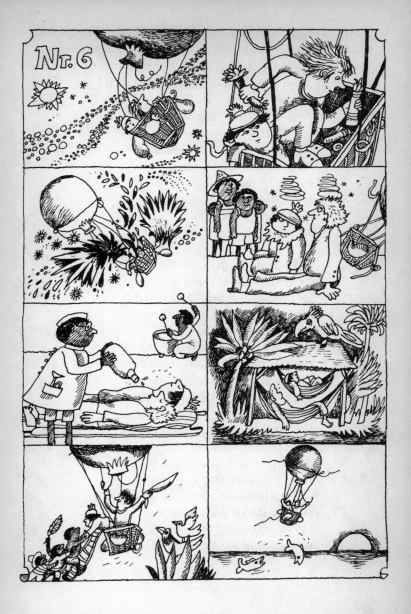

Wenn man also die Raketen
Bündelt und entzündet, dann
Wird man andersrum gewirbelt,
Fängt man es nur richtig an.
Also an dem Korbesrand
Werden sie nun angebrannt.

Mächtig ist und ungeheuer
Der Raketen-Gegenstoß,
Und er treibt zurück zur Erde
Den Ballon wie ein Geschoß.
Drall erzeugte Gegendrall.
Tetjus, das war genial!

Bald schon ist die gute Erde
Nicht mehr klein und fern und rund.
Fröhlich und zum Greifen nahe
Sieht der Tetjus grünen Grund.
Neben einem Baobab-
Baume sinkt der Korb hinab.

Schon erscheinen liebe Leute,
Dunkle und mit krausem Haar,
Und die ziehn den Korb zu Boden,
Und heraus steigt unser Paar.

Aber kaum auf fester Erde,
Dicht umringt von Frau und Mann,
Fangen die zwei Weltraumfahrer
Heftig sich zu drehen an.
Von der Wirbelei durchs All
Haben beide einen Drall.

Wo die beiden niedersanken,
Ahnt der kluge Leser ja:
Der Ballon und die zwei Freunde
Landeten in Afrika.

Telegraph und Urwaldtrommel
Treten tönend in Aktion,
Und nach einer halben Stunde
Kommt denn auch ein Doktor schon.

Dieser kluge Doktorsmann
Schaut sich die zwei Kreisel an,
Ruft: »Die Drehung ist enorm!«
Und verordnet Chloroform.
Dadurch werden beide jetzt
In den tiefsten Schlaf versetzt.
In dem Buschland-Krankenhaus.
Schlafen sich die beiden aus.

Aber schon am nächsten Morgen
Dürfen sie ins Freie gehn,
Wenn sie auch auf ihren Beinen
Noch ein wenig wacklig stehn.
Immerhin: Sie hatten Glück;
Denn sie kamen heil zurück.

Tetjus Timm als Weltraumfahrer
Und sein Freund, der Nanuch heißt,
Sind noch volle sieben Tage
Quer durch Afrika gereist.
Unterdessen füllte man
Den Ballon mit Gasen an.

Und nun kann er wieder fliegen.
Er ist herrlich rund und schön.
Und die Reise kann nun wieder
Nordwärts in die Heimat gehn.

Fröhlich steigt man in die Höhe
Auf der Leiter schwank und lang.
Ein paar allerletzte Küsse
Nimmt der Nanuch in Empfang.
Kurz danach sind sie zu zweit
In dem Korb und flugbereit.

»Kappt das Seil!« hört man ein Rufen.
Der Ballon steigt in die Höh.
Und die beiden Weltraumfahrer
Rufen: »Schönen Dank! Ade!«
Dann geht's in die Stratosphäre,
Aber diesmal ohne Drall;
Und der Wind treibt sanft zum Meere
Ihren gasgefüllten Ball.

Leider ist die Weiterreise
Kein Vergnügen, kein Pläsier.
Tetjus' siebtes Abenteuer,
Lieber Leser, zeigt es dir.

Ein Schnaufen war hinter der eisernen Tür zu vernehmen, als ich das sechste Abenteuer aufgesagt hatte. Dann
hörte ich M. M. sagen: »Kapitän Rickmers ist ein Auf-
schneider. Dieses Abenteuer ist sicher nicht wirklich
passiert. Das hat er erfunden, und zwar schlecht. Drall
und Gegendrall – da lachen ja die Hühner!«

»Aber Sie waren doch sehr gespannt darauf, wie es
weiterging, M. M.«, sagte ich.

»Natürlich war ich gespannt, Boy. Auch erfundene Sachen können ja spannend sein. Aber daß diese Geschichte erfunden ist, dabei bleibe ich.«

M. M. wollte sich noch weiter über Drall und Gegendrall verbreiten; aber er kam nicht dazu, weil Johann von der Leiter herunter nach mir rief.

»Boy, es treibt eine Flasche vorbei«, rief er mir zu. »Sieh zu, daß du sie kriegst! Mach schnell!«

Da rannte ich, ohne mich weiter um M. M. zu kümmern, die paar Stufen hinauf, die von der Eisentür nach oben führten, und fragte: »Wo treibt die Flasche?«

Johann, der schon halbwegs die Leiter hinuntergeklettert war, zeigte auf die Stelle, an der er den Kabeljau geangelt hatte, und sagte: »Nimm den Kescher mit. Er steht in der Abseite.«

Da holte ich den Kescher, die lange Stange mit dem Netz an einem Ende, sprang zu der angegebenen Stelle und kam gerade zurecht, als eine dunkelgrüne Flasche mit hin und her pendelndem Halse in der leichten Strömung vorbeigetrieben wurde. Es war sehr einfach, sie in das Netz des Keschers treiben zu lassen und sie dann auf die Klippen zu ziehen.

Johann kam gerade dazu, als ich die Flasche in die Hand nahm. Sie war mit einem Korken verschlossen, aber es schien trotzdem Wasser eingedrungen zu sein; denn als ich die Flasche bewegte, hörte ich es im Innern klunkern.

»Zeig mal her«, sagte Johann. Er nahm mir die Flasche ab, hielt sie gegen die Sonne und sagte: »Das hab ich mir gedacht: eine Flaschenpost. Hoffentlich ist sie noch lesbar. Es ist ja leider Wasser in der Flasche.«

»Eine Flaschenpost?« Ich bekam vor Aufregung Herzklopfen, während Johann die Angelegenheit sehr ruhig hinzunehmen schien.

»Hast du schon öfter Flaschenpost aufgefangen?« fragte ich.

»Dies ist die dritte, Boy.« Johann hatte inzwischen den Korken aus der Flasche gezogen und das bißchen eingedrungene Wasser ausgegossen. Nun wollte er den Zettel herausholen, der in der Flasche stak, aber der Hals der Flasche war zu eng und zu lang. So blieb nichts anderes übrig, als die Flasche auf dem Felsgrund zu zerschlagen. Und dies tat Johann denn auch. Dann zog er vorsichtig ein eingerolltes Papier zwischen den Scherben heraus und warf die Scherben ins Meer.

Als das Papier entrollt war, kam eine vom Wasser verschmierte blaue Tintenschrift zum Vorschein.

»Meinst du, das kann man noch lesen, Johann?« fragte ich.

»Mit Geduld und Lupe«, antwortete Johann. »Klettern wir hinauf in mein Zimmer.«

Wir erstiegen also die Leiter, und ich betrat zum erstenmal Johanns Zimmer.

Es war eine mit Büchern austapezierte Röhre, fast wie der Schacht des Kaninchenlochs, in dem Alice im Wunderland zu Boden gesunken ist. Sogar das Bett und der kleine schwarze Schreibtisch mit dem schwarzen Armstuhl davor waren links und rechts und oberhalb von Büchern umgeben.

»Hast du diese Bücher alle gelesen, Johann?« fragte ich.

»Ja, Boy«, sagte Johann. »Fast alle. Aber nun nimm dir den Hocker da und setz dich zu mir an den Schreibtisch. Mal sehen, was die Flaschenpost uns zu berichten hat.«

Johann setzte sich in den schwarzen Armstuhl, und ich setzte mich mit dem Hocker neben ihn. Dann glättete Johann den inzwischen trocken gewordenen Zettel auf der Schreibtischplatte mit seinen Händen.

Einige Wörter konnte ich in dem blauen Wischiwaschi sofort entziffern, nämlich am Anfang »Wir sind . . .« und am Ende das Wort »Prinzessin«.

»Ob das vielleicht eine Flaschenpost von einer Prinzessin ist?« fragte ich.

»So kommt es mir vor«, antwortete Johann. »Aber laß uns methodisch vorgehen, Boy, und zuerst einmal abschreiben, was lesbar ist.«

Er nahm ein unbeschriebenes weißes Blatt aus einer Lade, dazu eine Lupe und einen Bleistift. Dann begannen wir das, was lesbar war, Buchstaben für Buchstaben zu entziffern, und Johann schrieb es auf das weiße Blatt.

Nach vielleicht einer Stunde hatten wir folgendes entziffert:

..östl.... ge 55°... dl..rei..26. ..i
Wir sind ..........us dem .eb ..
.....ied .n, ..il die We... .nsere Li...
nicht ge..... ..ßt. Den Finder .ieses
Schre....s bit... ..r, unseren
Ang.....gen ..f Schl.. Cram.. .n. im Dorf
...min Na...r...t hie.....u.eben.
　　　　El...o.e Prinzessin .u...min
　　　　　.ch.. Trö..r

»So«, sagte Johann, »und nun laß uns ein bißchen kombinieren, Boy.« Er nahm ein neues Blatt und sagte: »Oben drüber stehen die Positionsangaben und das Datum. Schreiben wir das erst mal hin.«

Auf das neue Blatt schrieb Johann also:

|  | Mai |
| --- | --- |
| ...° östl. Länge 55° nördl. Breite 26. | Juni |
|  | Juli |

(Da der Monat mit i endete, konnte es Mai, Juni oder Juli sein.) Danach schrieb er flüssig und ohne meine Hilfe:

Wir sind .........aus dem Leben geschieden, weil die We.. unsere Li...nicht ge.......ßt. Den Finder dieses Schreibens bitten wir, unseren Angehörigen auf Schloß Cramin und im Dorf Cramin Nachricht hiervon zu geben.

　　　　　Eleonore Prinzessin zu Cramin
　　　　　.ch.. Trö..r

Mein Herz klopfte, als ich den Text gelesen hatte, so laut, daß ich glaubte, Johann müßte es klopfen hören. Eine Prinzessin und ein Mann, der mit Vornamen Jochen oder Richard oder Achim hieß, hatten sich gemeinsam das Leben genommen, und wir zwei auf dem Leuchtturm waren die ersten, die hiervon Nachricht erhielten.

»Das müssen wir der Zeitung melden, Johann«, sagte ich.

»Nein, Boy, ob das in die Zeitung kommt, sollen die Angehörigen entscheiden. Ich werde den Zettel und meine Entzifferung nach Cramin schicken.«

»Weißt du denn, wo das ist?«

»Ja, Boy, an der Ostsee. Aber laß uns noch einen weiteren Entzifferungsversuch machen. Ich sehe eben, daß die Feder beim Schreiben tiefe Linien in das Papier gezogen hat. Da kann man auf der Rückseite eine Bleistiftabreibung machen. Paß auf.«

Johann drehte das Papier um und fuhr mit dem flach gehaltenen Bleistift über die Oberfläche hin. Da hoben sich die eingekratzten Buchstaben tatsächlich als dunkle Linien ab, und nun konnten wir fast den ganzen Brief in Spiegelschrift lesen. Als Johann dann seinen Rasierspiegel darüberhielt, war das in gewöhnlicher Schrift lesbar, und wir konnten die noch fehlenden Stellen alle ergänzen. Der Text lautete nun:

8° östl. Länge, 55° nördl. Breite 26. Mai
Wir sind gemeinsam aus dem Leben geschieden,
weil die Welt unsere Liebe nicht gelten läßt.
Den Finder dieses Schreibens bitten wir, unseren
Angehörigen auf Schloß Cramin und im Dorf Cramin Nachricht hiervon zu geben.
                Eleonore Prinzessin zu Cramin
                Achim Tröger

Johann tat Lupe und Rasierspiegel wieder in eine Lade und sagte: »Acht Grad östlicher Länge und fünfundfünfzig Grad nördlicher Breite, das ist nördlich von Helgoland auf der Höhe der Insel Sylt. Und geschehen ist das vor rund zwei Monaten. Wahrscheinlich sind die Leichen längst irgendwo angetrieben.«

»Warum haben die sich wohl das Leben in der Nordsee genommen?« fragte ich Johann. »Cramin liegt doch an der Ostsee, wie du mir erklärt hast.«

»Es handelt sich wahrscheinlich um zwei junge Leute, die sich gegenseitig in eine Art Verfolgungswahn hineingesteigert haben, Boy. Schau, wenn sie schreiben, daß die Welt ihre Liebe nicht gelten läßt, dann ist das schon ein bißchen überspannt. Wir zwei zum Beispiel gehören ja auch zur Welt, und was sollten wir dagegen haben, daß die Prinzessin Cramin einen Jungen aus dem Dorf Cramin heiratet?«

»Aber die Familie hatte wohl was dagegen, Johann«, sagte ich.

»Sicherlich, Boy. Und die Eltern des Jungen, vielleicht Pächter des Fürsten, hatten möglicherweise auch etwas dagegen, daß ihr Achim sich mit einer Prinzessin vom Schloß eingelassen hat. Aber die jungen Leute hätten ja zum Beispiel auch nach England ausbüxen können. Da sie die genaue Position angegeben haben, müssen sie mit einem eigenen oder geliehenen Boot mit Kompaß und Sextant ausgefahren sein.«

»Und dann sind sie von Bord gesprungen und haben eine Flaschenpost ins Meer geworfen?« fragte ich erstaunt. »Sie hätten doch vor der Bootsfahrt auch mit der Post an ihre Familien schreiben können.«

»Natürlich, Boy«, sagte Johann. »Aber sie haben sich eben in die Idee hineingesteigert, daß die ganze Welt sich gegen sie verschworen hätte. Und da wurden sie auch verschwörerhaft überspannt. Außerdem gibt es ein Alter, in dem mancher lieber romantisch sterben als unromantisch leben möchte. Wahrscheinlich waren die beiden in diesem Alter. Jedenfalls muß ich der Familie auf dem Schloß und der Familie Tröger im Dorf den Text dieser Flaschenpost schicken. Es ist das dritte Mal, daß ich wegen einer Flaschenpost zur Feder greifen muß.«

»Wo kamen denn die ersten beiden Flaschenposten her?« fragte ich.

»Die erste kam aus England. Aus Ramsgate in der Grafschaft Kent. Sie kam von einem pensionierten Kapitän, der die Strömungen in der Nordsee studiert. Wahrscheinlich hat er eine ganze Batterie von Flaschen losschwimmen lassen. Für meine Nachricht, daß eine hier beim Leuchtturm angetrieben worden ist, hat er mir ein dickes Buch über englische Hochseeschiffe geschickt, eine sehr kostbare Ausgabe.«

»Und die zweite Flaschenpost?« fragte ich. »Wo kam die her?«

»Sozusagen auch von einer Prinzessin«, antwortete Johann. »Nämlich von der Segelyacht ›Prinzessin Heinrich‹, die in einen Sturm geraten war. Ich bekam aber dann Nachricht, daß die Yacht und die drei Mann Besatzung den Sturm heil überstanden hätten.«

»Vielleicht sind die beiden Leute, die diese dritte Flaschenpost geschickt haben, auch gerettet, Johann«, sagte ich.

»Nein, Boy.« Johann schüttelte den Kopf. »Die beiden hatten eine Leidenschaft zum Tode. Ich glaube nicht, daß sie noch leben. Und jetzt muß ich zwei Briefe schreiben. Wenn du dich nützlich machen willst, kannst du in der Küche Kartoffeln schälen. Aber schäl alle, die ich vorbereitet habe. Wenn Dappi kommt, soll es Würstchen und Kartoffelsalat geben, und Dappi wird hungrig sein. Kannst du überhaupt Kartoffeln schälen?«

»Natürlich«, sagte ich gekränkt. »Ich habe bestimmt schon so viele Kartoffeln geschält, daß die Passagiere von einem ganzen Ozeandampfer davon satt werden könnten.«

»Dann fang jetzt mit dem Schälen für den zweiten Ozeandampfer an«, sagte Johann.

Ich kletterte also hinunter in die Küche und schälte die Kartoffeln, die schon in einer Schüssel bereitstanden. Dabei dachte ich über die Prinzessin und den Bauernjungen nach, die sich ins Meer gestürzt hatten; aber ich konnte mir keine recht Vorstellung von ihnen machen, weil ich damals noch kein Schloß und auch noch keinen Bauernhof gesehen hatte. So konnte ich mir auch nicht vorstellen, wie die beiden aufgewachsen waren. Das einzige, was ich wußte, war, daß im Märchen der Bauernjunge sehr oft die Prinzessin zur Frau bekommt. Aber das kam im wirklichen Leben anscheinend seltener vor.

Als ich mit dem Schälen der Kartoffeln fertig war, war Johann auch mit dem Briefeschreiben fertig. »Boy«, sagte er, als er in die Küche kam, »solche Briefe an Angehörige von Toten können einen wahrhaftig in Schweiß bringen. Dauernd meint man, ein falsches Wort hingesetzt zu haben, das die Angehörigen verletzen könnte. Na, jetzt hab ich's hinter mir, und jetzt mache ich den Kartoffelsalat.«

Da wir am Abend mit Dappi zusammen groß essen wollten, nahmen wir zu Mittag nur ein paar Happen aus Dosen zu uns. Dann schlug Johann aus Öl und Eiern eine Majonäse, in der er die in Scheiben geschnittenen gekochten Kartoffeln wälzte.

Gegen fünf Uhr nachmittags glaubte Johann, durch das Fenster im Osten ein weißes Boot auf dem Meer erkennen zu können. Wir gingen deshalb auf den Balkon hinaus, um besser sehen zu können; aber ich sah trotz allen guten Willens nichts. Erst als wir in das Wohnzimmer hinuntergeklettert waren, in dem das Fernglas lag,

erkannte auch ich durch ein Fensterchen einen weißen Punkt; und als Johann das Fernglas an die Augen nahm, da gab es keinen Zweifel mehr: Dappi war mit seinem Motorboot unterwegs zu uns.

Nach Johann blickte auch ich durch das Fernglas, und diesmal erschien im Rund der Gläser tatsächlich das weiße Boot. Nur saßen anscheinend zwei Personen darin – sofern die Spiegelung des Glases mich nicht täuschte.

Als ich das Johann sagte, nahm er mir das Fernglas wieder aus der Hand, blickte eine Zeitlang konzentriert aufs Meer und sagte dann: »Tante Julie ist mit im Boot. Da brauchen wir ein paar Kartoffeln mehr und auch mehr Würstchen.«

Ich mußte also hinunterklettern zur sogenannten Abseite, deren hinterer Teil ein kühler Vorratsraum war, um Kartoffeln und noch eine Dose Würstchen zu holen. Dabei hüpfte ich rasch hinunter zur Eisentür und erzählte M. M. von der Flaschenpost, was ihn ungeheuer aufzuregen schien. Als ich ihn wieder verließ, hörte ich ihn schnaufen: »Wikingerschiffe und Liebestragödien, und ich muß hinter Gittern sitzen!«

Johann und ich kletterten nun wieder hinauf zur Küche, um mehr Kartoffelsalat zu machen. Wir würden ja zu viert sein. Ich freute mich schon auf Tante Julie, die eine inselbekannte Geschichtenerzählerin war.

Beim Kartoffelsalatmachen hatte ich dann Gelegenheit, Johann ein paar Sachen zu fragen, die mir noch im Kopf herumgingen. Zuerst fragte ich ihn nach dem seltsamen Spruch, den Ebby Schaumschläger mir vom Passagierdampfer aus nachgerufen hatte: Klipp den Hummer! Türm die Kappe! Feuer blank!

»Hat das eine bestimmte Bedeutung?« fragte ich.

»Aber keine Spur, Boy! Das ist eine Wortspielerei mit den Wörtern Hummerklippen, Turmkappe und blankes Feuer, weiter nichts. So etwas fällt Ebby im Augenblick ein. Am nächsten Tag hat er es schon wieder vergessen. Er wollte damit auf die Dampferpassagiere Eindruck machen. Und vielleicht hat er das auch getan. Wer weiß?«

»Auf mich hat es Eindruck gemacht«, sagte ich.

»Na siehst du«, lachte Johann. »Er ist eben der geborene Vertreter, der auf alle Welt Eindruck macht.«

»Du rauchst ja sogar, wenn er kommt«, sagte ich. »Rauchst du sonst eigentlich nicht?«

Dies war die zweite Frage gewesen, die mich beschäftigt hatte, und Johann gab gleich Bescheid. »Im Winter«, sagte er, »rauche ich viel, vielleicht zuviel. Im Sommer rauche ich weniger, und wenn Gäste auf dem Turn sind, die nicht rauchen wie du oder Dappi oder wie ab heute Tante Julie, dann höre ich ganz damit auf. Ich prüfe mich damit selber. Und ich bin jedesmal in der Lage, mit dem Rauchen aufzuhören. Krankhaft süchtig bin ich also nicht. Und das ist gut zu wissen.«

»Vielleicht wärst du dann auch bei den Lotosessern nicht süchtig geworden, Johann«, sagte ich. Aber Johann wiegte zweifelnd den Kopf. »Das Kraut, das die Gefährten des Odysseus zu sich genommen haben, Boy, das muß ein Teufelszeug gewesen sein. Sie verloren ja sogar ihr Gedächtnis nach dem Genuß des Lotos.«

Da wir gerade über den Abenteurer Odysseus redeten, konnte ich nun auch die dritte Frage loswerden, die mir immer noch durch den Kopf ging, nämlich die Frage nach den Millionen Menschen, die aus Not zu Abenteurern geworden waren und von denen Johann am Morgen gesprochen hatte. »Wer«, fragte ich, »waren denn diese Millionen Menschen?«

»Das erzähle ich dir auf dem Balkon«, sagte Johann. »Stell die Klappstühle raus. Diesmal will ich die Ankunft des Motorbootes genießen.«

Da stellte ich die Klappstühle so auf den Balkon, daß wir von ihnen aus das ankommende Motorboot erkennen konnten, und kurz danach kam Johann auch auf den Balkon heraus, und wir setzten uns und blickten auf das tief dunkelgrüne Meer, in dem der weiße Punkt nun schon so groß wie eine dicke Walnuß war.

»Von dem, was uns hier grün umgibt, Boy«, sagte Johann draußen, »hängen Glück und Unglück aller Menschen ab. Kennst du den Spruch, der im Eingang eures Aquariums geschrieben steht?«

»Ja«, sagte ich. »Er heißt:

Alles ist aus dem Wasser entsprungen,
Alles wird vom Wasser erhalten.
Ozean, gönn uns dein ewiges Walten!«

»So steht's da, Boy«, sagte Johann. »Und stammt von dem Dichter Goethe. Und stimmen tut's auch.«

»Und wie«, fragte ich, »hängt das mit dem Glück und dem Unglück der Menschen zusammen?«

»Sehr einfach, Boy: Nur, wo es Wasser gibt, da hat der Mensch zu trinken und zu essen. Denn auch das, was die Menschen essen, ob Tier, ob Pflanze, benötigt Wasser, um zu überleben. Bleibt Wasser aus, sterben die Pflanzen; bleiben die Pflanzen aus, sterben die Tiere; bleiben die Pflanzen und die Tiere aus, sterben die Menschen. Und bleibt dies alles aus, dann stirbt auf diesem Stern das Leben. Dann wird er nur noch Stein und Eisen sein, und kalte Sterne stehen still um ihn herum. Das, was dich hier auf diesem Turm umgibt, Boy, dieser Ozean, das ist das Lebenswasser, das uns alle auf der Welt erhält.«

Nach der Erklärung Johanns dachte ich, obwohl ich ja noch klein war und erst in die dritte Klasse ging: »Das ist sehr gut, daß einer, der im Ozean die Wache hält, so gut über das Wasser und das Leben denkt.« Dann stand ich auf und lehnte mich auf das Balkongitter; denn inzwischen war das Motorboot, das im großen Meer gerade vor uns immer näher auf den Leuchtturm zukam, schon eiergroß geworden. Ich erkannte deutlich, daß zwei Personen darin saßen. Ich meinte sogar, an einer Person etwas Rotes erkennen zu können; und Johann bestätigte es mir, als er durch das Fernglas guckte. »Tante Julie trägt ein rotes Tuch um den Hals«, sagte er. Dann legte er das Fernglas wieder auf seine Knie, und ich fragte: »Wie war denn das nun mit den vielen Menschen, die zu Abenteurern wurden, weil das Wasser fehlte, Johann?«

»Oh, denen hat es nicht nur an Wasser gefehlt«, antwortete Johann. »Oft wurden die Menschen auch vertrieben von zu vielem Wasser, also von Überschwemmungen. Oder sie zogen fort, weil es zu kalt wurde und alles Wasser zu Eis gefror.«

»Und wo war das, Johann?«

»Überall, Boy, und zu allen Zeiten. Schon im dritten Jahrtausend vor Christus, also vor fünftausend Jahren, sind Menschengruppen zwischen Dänemark und Rußland umhergezogen. Die haben in Bechern und Krügen aus Ton eine Spur hinterlassen. Sie haben darauf nämlich Verzierungen angebracht, indem sie vor dem Brennen geflochtene Schnüre in den weichen Ton gedrückt haben. Man nennt sie deshalb die Schnurkeramikleute.«

»Und meinst du, das war wirklich ein Abenteuer, wenn die Schnurkeramikleute losgezogen sind?« fragte ich.

»Ja, das meine ich, Boy. Vor allem auch wegen der Tiere, die sie mit sich führten. Die Tiere können ja unterwegs verhungern oder verdursten oder geraubt werden von Menschen oder Raubtieren. Übrigens...« Johann blickte auf das herankommende Boot. »Übrigens kenne ich eine Geschichte von einem Treck mit Tieren in der Dürrezeit. Bis Tante Julie und Dappi hier sind, könnte ich sie dir erzählen. Willst du sie hören?«

»Sehr gern, Johann«, sagte ich. »Ich höre Geschichten ebenso gern wie Gedichte. Genau wie mein Urgroßvater.«

Da erzählte Johann mir auf dem Balkon des Leuchtturmes, während das weiße Boot vor uns langsam näher kam und größer wurde, die Geschichte:

## Das Tal der goldenen Hörner

Es lebte einst ein Hirte namens Lutz. Der hütete auf fetten Weiden die schönbehörnten Rinder seines Dorfes. Doch eines üblen Sommers, als kein Regen fallen wollte, war aus den fetten Weiden dürres Land geworden, trocken und braun, mit vielen breiten Rissen. Da mußte Lutz mit seiner Herde andere Weiden suchen. So zog er mit den schon sehr mageren Rindern nordwärts. Er hoffte, daß der Norden feuchter wäre als die Gegend um sein Dorf.

Als bei dem Rinderzug die erste Nacht anbrach, lagerten Lutz und seine Tiere am Rande eines kleines Baches, mit dessen nicht sehr klarem Wasser die Rinder ihren brennenden Durst löschen konnten. Gras und Kraut gab es auch hier noch nicht. Die Rinder mußten sich hungrig zum Schlaf niederlegen.

Lutz blieb in dieser Nacht noch lange wach und starrte den Mond an, der wie ein goldenes Horn aussah. Als er am Ende doch in Schlaf fiel, da murmelte er, schon halb im Traum: »Du goldenes Horn, schick Wasser auf die Erde, damit die Weiden wieder grünen und meine Rinder wieder fröhlich grasen können.«

Am zweiten Abend seines Rinderzuges kam Lutz mit seinen Tieren an einen See. Der war, wie Lutz an seinen breiten schlammigen Rändern sehen konnte, zuvor beinahe doppelt so groß gewesen. Jetzt war er klein und flach, und sein Wasser roch übel. Die Rinder aber, ihren brennenden Durst zu löschen, drängten sich, Leib an Leib und Horn an Horn, ins flache Wasser hinein und schlürften es mit ihren Mäulern gierig ein.

Lutz trank den letzten Wein aus seiner Feldflasche und aß den letzten Käse aus dem Beutel. Dann legte er sich nieder und sah langsam das goldene Horn des Mondes aufsteigen. Und wieder, als er in den Schlaf hinüberglitt, murmelte Lutz: »Du goldenes Horn, schick Wasser auf die Erde, damit die Weiden wieder grünen und meine Rinder wieder fröhlich grasen können.«

Die dritte Nacht des Rinderzuges brach an, als Lutz mit seinen Tieren an das Ufer eines Flusses kam. Der strömte in der Mitte seines Beckens mit schlammigbraunem Wasser hin. Aber das Wasser roch nicht übel, und

Lutz, der es flußaufwärts von den Tieren trank, fand es sogar ein bißchen schmackhaft. Das Schönste an dem Flusse aber war, daß Gras und Kräuter an den Ufern wuchsen, nicht üppig zwar und nur in dünnen Streifen; aber es war doch immerhin ein wenig Futter. Die ganze Nacht lang hörte Lutz, als er den Mond ansah, das Rupfen und das Mulmen seiner Rinder; und als er in den Schlaf hinüberglitt, murmelte er: »Du goldenes Horn, schick Wasser auf die Erde, damit die Weiden wieder grünen und meine Rinder wieder fröhlich grasen können.«

Am vierten Tag des Rinderzuges erwachte Lutz mit einem seltsamen Gefühl. Ihn fröstelte, und um ihn war ein Lärmen, und alles klebte irgendwie an seinem Leib. Als er die Augen öffnete, sah er, woran das lag: Es regnete in schweren Schauern; er selber lag in einer Wasserlache, und um ihn standen mit gesenkten Köpfen seine tropfenden Rinder. Da sprang Lutz auf, hob seine Hände zum Himmel und rief: »Mond, Mond, ich danke dir!«

In diesem Augenblick kam Unruhe in Lutzens Rinder. Erst blökten sie nur blöde vor sich hin; dann aber fingen sie zu brüllen an, hoben die Köpfe, witterten und rannten plötzlich alle miteinander, Leib an Leib und Horn an Horn, nach Süden.

Lutz schrie »halt, halt«, und pfiff und rannte hinterher. Aber bald sah er ein, daß seine Rinder schneller waren als er selber. Da blieb er keuchend stehn – mitten im Regen, der immer noch vom grauen Himmel niederrauschte. Dann ging er langsam an das Flußufer zurück, wo er die Feldflasche und seinen Beutel liegen hatte.

Er dachte dabei: »Was mag in die Tiere gefahren sein? So hab ich sie noch nie erlebt in all den Jahren.«

Auf seine nur gedachte Frage hörte Lutz eine Frauenstimme antworten. Sie sagte ruhig: »Hab keine Angst um deine Rinder. Sie finden heim zu ihren wieder grünen Weiden. Du aber, guter Hirte, sollst in Zukunft *meine* Rinder hüten.«

Als Lutz sich in die Richtung drehte, aus der die Stimme an sein Ohr gedrungen war, sah er eine sehr schöne Frau in Weiß. Und diese Frau kam auf ihn zu. Überall, wo sie ging, teilte der Regen sich, wie ein Vorhang sich teilt. Kein einziger Tropfen fiel der Frau auf Kopf und Schultern. Trockenen Leibes ging sie mitten durch den Regen. Als sie sich Lutz genähert hatte, nahm sie seine Hand und sagte: »Komm.«

Lutz schritt also an ihrer Hand flußaufwärts durch den Regen, der sich nun über seinem Kopfe gleichfalls teilte, so daß kein Regentropfen ihn mehr traf. Sie gingen schweigend lange Zeit, bis sie an eine steile Felswand kamen, von der ein Wasserfall weißgischtend niederschäumte. Von dessen Wasser nährte sich der Fluß.

Die Frau in Weiß führte Lutz unter diesen Wasserfall, der jetzt über ihre Köpfe hinwegdonnerte, und unterhalb des Wasserfalls ging sie in eine Felsspalte hinein und zog Lutz nach sich. Sie gingen nun in einem Felsgange, in dem das Donnern und Schäumen des niederstürzenden Wassers allmählich immer leiser und ferner wurde, bis es am Ende ganz verstummte. Da wurde es im dunklen Gange langsam wieder licht, und wenig später waren die beiden auf der anderen Seite des Felsens.

Hier tat sich vor Lutzens erstaunten Augen ein grünes felsumringtes Tal in mildem Sonnenscheine auf. Die Luft war blau, das Gras war dick und saftig, und in dem Grase weideten schneeweiße Rinder, und alle Rinder hatten goldene Hörner.

»Ist das die Herde, die ich hüten soll?« fragte Lutz die Frau in Weiß.

»Das ist sie, Lutz. Gefällt sie dir?«

»Das ist die schönste Rinderherde, die ich je gesehen habe, und auch der allerschönste Weidegrund.«

»Dann weide meine Rinder, guter Hirte. Was verlangst du zum Lohn?«

»Milch, Käse, Speck und Brot und Wein.«

»Und Geld und Gold verlangst du nicht?«

»Ich will nur Hirte sein, nicht Herr von Herden. Das Rechnen macht mir zuviel Schererei.«

»Dann nimm die Zehrung für den ersten Tag«, sagte die Frau in Weiß und zeigte auf den Boden. Dort stand plötzlich ein schön geflochtener Korb mit Käse, weißem Brot und Schinken und einem Krug voll Milch und einer Flasche Wein.

Bei diesem Anblick merkte Lutz zum erstenmal nach den drei Tagen Plage, welch einen Hunger er im Leibe hatte. Am liebsten hätte er das alles gleich auf einmal in den Mund gestopft; aber statt dessen sagte er wohlerzogen: »Ich habe großen Hunger, Frau, darf ich...?«

»Nur zu«, sagte die Frau in Weiß, »nur zu.« Da hockte Lutz sich kreuzbeinig ins Gras, zog sein Klappmesser aus der Hosentasche und begann zu essen. Er aß zwei Stungen lang, und er aß alles auf, und er bemerkte nicht einmal, daß sich die Frau in Weiß mit einem Lächeln in den Mundwinkeln entfernte.

Drei Jahre lang diente der Lutz der Frau in Weiß. Er striegelte, wenn Vollmond kam, die weißen Rinder und rieb mit feinem weichen Heu die goldenen Hörner blank. Er half den weiblichen Rindern die Kälber gebären und richtete einige auch zum Melken ab. Er griff den Stieren in die Nasenlöcher, wenn sie stößig wurden, und half so manchem dummen Kälbchen auf die Beine. Das Wetter war das ganze Jahr durch mild. Einmal im Monat rauschte ein befruchtender Regen nieder, und niemals mangelte es hier an Gras und Kräutern.

Die Frau in Weiß sah Lutz in jeder Neumondnacht. Dann setzte sie sich zu ihm, und sie sprachen über die Rinder. Doch immer, wenn sie wieder ging, sagte sie: »Wenn du das Tal verläßt, wirst du den Weg zurück niemals mehr finden. Vergiß das nicht.«

Gewöhnlich sagte Lutz dann: »Werd's schon nicht vergessen.«

Aber im dritten Jahr vergaß der Lutz es doch. Da war er zufällig an jenem Felsengang vorbeigeschlendert, durch den er drei Jahre zuvor das Tal betreten hatte. »Ein Stück hineinzugehen«, sagte er sich, »bedeutet ja noch nicht, daß ich das Tal verlasse. Ich probier's mal. Ich will nur bis zu jener Stelle gehen, an der man das Donnern des Wasserfalls hören kann.«

So ging Lutz in den Gang hinein, ging weiter, immer weiter, ohne den Wasserfall zu hören, und sah mit einem Male Licht und hörte Rinder blöken. Er hörte seine alten Rinder aus dem Dorfe und rannte vor und stand im Freien, und hinter ihm schloß sich der Felsen sacht.

Lutz merkte davon vorerst nichts. Er starrte nämlich auf die hohe Felswand, von der kein Tropfen Wasser niederfiel. Im Flußbett stand nur noch ein bißchen trübes Wasser, und seine alten Rinder, Leib an Leib und Horn an Horn, tauchten die Mäuler in das trübe Naß. Dann sah die braune Berta plötzlich ihren alten Hirten und rannte blökend auf ihn zu, und alle anderen Rinder folgten.

Da drehte Lutz sich um, um seine Rinder in das Tal zu führen, und sah nun, daß der Felsen fest verschlossen war. Da warf er sich, im Rücken all die mageren Rinder, vor der Felswand auf die Knie, hob seine Arme und rief: »Du goldenes Horn, schick Wasser auf die Erde, damit die Weiden wieder grünen und meine Rinder wieder fröhlich grasen können.«

Drei Tage lang leckten die Rinder das faulige Wasser. Drei Tage lang rief Lutz das goldene Horn um Wasser an. Am vierten Tag gab es einen Donner in der Ferne; dann kamen Wind und schwarze Wolken, und Regen fiel in schweren Schauern nieder.

Als Lutz da mit erhobenen Händen rief: »Mond, Mond, ich danke dir«, kam Unruhe in seine Rinder. Erst blökten sie nur blöde vor sich hin, dann aber fingen sie zu brüllen an, hoben die Köpfe, witterten und rannten plötzlich alle, Leib an Leib und Horn an Horn, nach Süden.

»Sie kehren heim zu ihren wieder grünen Weiden«, murmelte Lutz und folgte den Tieren.

Am zweiten Tage seiner Wanderung fand Lutz am Abend seine Rinder wieder. Sie lagen am Ufer des hoch

angeschwollenen Sees zwischen den allerfeinsten zarten jungen Gräsern und mulmten zufrieden.

Am dritten Tag zog Lutz mit seinen Rindern heim ins alte Dorf, wo sich in all den Jahren nichts verändert hatte.

»Da bist du ja wieder, Lutz«, sagt ein Bauer am Wege zu ihm. »Das war ein Rinderzug von ganzen sieben Tagen. Wer konnte denn auch wissen, daß so bald der Regen kommen würde? Sei willkommen.«

Lutz war es wie im Traum, als er mit seinen Rindern in das Dorf einzog. Die Leute grüßten ihn alle wie einen, der nur sieben Tage fortgewesen war, und nicht wie einen, der drei Jahre in der Fremde dienen war. Er selber aber kam sich fremd und älter vor und sehnte sich weg und heim ins Tal der goldenen Hörner.

Als Johann nach der Geschichte schwieg, sagte ich: »Das war ein schönes Märchen. Und weißt du, wer die Frau in Weiß gewesen ist, Johann?«

»Die hatte wohl mit dem Mond und dem Wasser zu tun, Boy. In alten Zeiten glaubte man, der Mond sei eine weiße Frau. Und die Geschichte ist sehr alt. Aber ich glaube, unsere Besucher rufen etwas. Sei still.«

Das Motorboot mit Tante Julie und Dappi war während der Geschichte nah an den Leuchtturm herangekommen. Wir hörten schon deutlich das Tuckern des Motors. Und nun hörten wir Dappi rufen: »Ahoi, Johann. Paß auf, daß ich die Barkasse nicht ramme.«

»Ahoi, Dappi. Alles klar!« rief Johann durch die hohlen Hände zurück. Dann winkten wir Tante Julie zu, die mit ihrem roten Halstuch zurückwinkte, und kletterten danach hinunter auf die kleine Mole. Hier zogen wir die Barkasse nah an die Mole heran, damit Dappis Motorboot »Tetjus Timm« bequem einlaufen konnte.

Bald darauf tuckerte die »Tetjus Timm« in weitem Bogen auf die Mole zu und dann mit gedrosseltem Motor neben die Barkasse. Dann schwieg der Motor, und Dappi warf uns das Tau zu, das wir am Poller festmachten. Nun zogen wir das Boot an die Mole heran, Tante Julie und Dappi stiegen aus, und Johann sagte: »Willkommen auf dem Leuchtturm.«

Ich als nun schon erfahrener Leuchtturmbewohner sagte ebenfalls willkommen. Dann kam das übliche Durcheinander einer Ankunft: Tante Julies zwei Taschen mußten in das untere Zimmer gebracht werden, Dappis Tasche kam in die Küche, wo er diesmal schlafen sollte; und die Ersatzteile, die Dappi mitgebracht hatte, wurden mit Hilfe eines Flaschenzuges erst auf den Bal-

kon gehievt und dann von den beiden Männern über die Leiter in die Kuppel geschafft.

Ich mußte währenddessen in der Küche die Würstchen heiß machen, was ich schon konnte. Ich deckte auch den Küchentisch für uns vier, und kurz bevor die Sonne in das Meer eintauchte, war ich mit dem Abendessen fertig und die anderen mit dem Einräumen und Hinaufschaffen.

So setzten wir uns, während das Licht des Leuchtturms draußen schon das Meer erhellte, an den Tisch und aßen kalten Kartoffelsalat und heiße Würstchen.

Natürlich interessierte es mich, wieso Tante Julie mitten im Sommer, in dem sie ihr Haus voller Badegäste hatte, zum Leuchtturm fahren konnte. Aber die Erklärung, die Tante Julie mir auf meine Frage gab, war sehr einfach: Ihre Schwester war zu Besuch gekommen. Und die hatte gesagt: »Fahr du nur mit. Ich kümmere mich schon um die Gäste. Es sind ja nur drei Tage.« Und so war Tante Julie denn gefahren, und da saß sie nun mir gegenüber und tauchte ein Würstchen in Senf ein.

Nach dem Abendessen setzten wir uns in das Wohnzimmer, in dem ich schlief. Die Erwachsenen nahmen Rum, Zucker und heißes Wasser mit hinunter und brauten sich daraus Grogs. Ich trank verdünnten Himbeer-Sirup.

Da Tante Julie sich überall so sicher bewegte, als hätte sie schon jahrelang auf diesem Leuchtturm gelebt, fragte ich, ob sie schon einmal hier gewesen wäre, und sie sagte: »O ja, Boy. Schon fünf- oder sechsmal. Ich mag das Leuchtturmleben gern. Und wie gefällt es dir?«

»Sehr gut«, sagte ich. »Es ist auch viel spannender, als ich dachte. Heute haben wir eine Flaschenpost aufgefangen und entziffert.«

»Wahrscheinlich mit einem Gruß von einem Kegelklub«, sagte Dappi. »Stimmt's?«

»Nein, stimmt nicht«, antwortete Johann. »Es war die Nachricht von einem Selbstmörderpaar.« Dann erzählte er, wie wir die Nachricht entziffert hatten, und teilte auch den Text mit. Doch hatte er das kaum getan, als Tante Julie und Dappi fast gleichzeitig riefen: »Die Prinzessin und der Bauernjunge!«

»Wißt ihr etwas über die beiden?« fragte Johann verwundert.

»Die Zeitungen sind seit vorgestern voll davon«, sagte Tante Julie.

»Und was ist geschehen?« fragte Johann.

Da erzählten Tante Julie und Dappi uns, daß die Leichen der beiden jungen Leute schon viele Wochen zuvor auf der Insel Sylt angeschwemmt worden wären. Dort hätte man sie, da sie nur Badeanzüge angehabt hätten und niemand sie kannte, auf dem Friedhof der Heimatlosen begraben. Nun hatte aber ein Hamburger Geschäftsmann, der Yachten vermietet, eine seiner Yachten vermißt. Er hatte sie gegen eine kleine Anzahlung einem jungen Paar vermietet, das sich als Geschwister Tröger aus Cramin bei ihm eingetragen hatte. Und bei der Suche nach seiner Yacht war er zuerst auf die menschenleere Yacht gestoßen. Eine Hochseeyacht hatte sie ihm sozusagen als Fundstück im Schlepp nach Hamburg gebracht. Bei weiteren Nachforschungen war er dann auf das tote Paar von Sylt gestoßen und später auf die Familie Tröger in Cramin. Deren Sohn Achim war ja der tote junge Mann. So war eins zum andern gekommen, und auch die Zeitungen hatten Wind von der Sache bekommen. Und da die Zeitungen im Sommer, wenn alle Welt Ferien macht, immer um Nachrichten verlegen sind, hatten sie die Geschichte von der Prinzessin und dem Bauernjungen groß herausgebracht.

»Im ›Fremdenblatt‹ fing die Geschichte schon auf der

ersten Seite an«, sagte Dappi. »Dieser Fürst Cramin muß ein verknöchertes altes Scheusal sein. Der scheint immer noch nicht gemerkt zu haben, daß das Mittelalter zu Ende ist.«

»Aber der Vater des Jungen, der Kartoffelbauer Tröger, scheint mir auch nicht viel besser zu sein«, sagte Tante Julie. »Der war auch so eine menschliche Versteinerung, mit der das junge Leben nicht fertig geworden ist. Nun sind ihre Kinder tot; aber sie werden wohl beide die gleichen granitenen Dickschädel bleiben, die sie schon immer waren.«

Fast alles, was Johann aus der Flaschenpost gemutmaßt hatte, traf, wie wir jetzt erfuhren, zu, und nun zog Johann aus der Brusttasche seiner Joppe zwei Briefe heraus und gab sie Dappi mit den Worten: »Steck sie auf Helgoland in den Briefkasten. Es ist die Nachricht an die Eltern mit der Flaschenpost. Ich habe sie geschrieben, bevor ich wußte, daß der Tod der beiden jungen Menschen schon an der großen Glocke hängt. Und das ist gut so. Der letzte Wunsch der beiden war, daß ihre Eltern diese Nachricht bekommen. Den Wunsch erfüll ich ihnen. Weiter muß ich ja nichts wissen.«

Die Briefe wechselten hinüber in Dappis Joppe, die über der Sessellehne lag, und Tante Julie sagte: »Seltsam, als ich in der Zeitung von den beiden jungen Leuten gelesen habe, da haben sie mir leid getan, aber sie waren dabei Fremde für mich und weit weg. Aber nun, da hier eine Flasche angetrieben ist, in der ein Zettel von ihnen steckte, das letzte, was einer von ihnen vor dem Tode geschrieben hat, jetzt geht mir das viel näher, so, als ob es Verwandte von mir wären.«

»So eine Flaschenpost, die in Verzweiflung losgeschickt ist, richtet sich ja immer an eine Menschenschwester oder an einen Menschenbruder«, sagte Johann. »Wenn es um Tod oder Leben geht, ist jeder Mensch unser Bruder. Oder sollte es wenigstens sein. Ihr auf der Insel rettet ja sogar beim schlimmsten Sturm Schiffbrüchige.«

»Und verlieren dabei manchen von den Unsrigen«, sagte Dappi. »Gleichzeitig kriegen wir aber etwas von der Ladung ab, wenn wir ein Schiff retten können. Tod und Geschäft gehen da durcheinander wie bei den beiden toten jungen Leuten und dem Yachtverleiher.«

»Die Mischung von Tod und Geschäft ist eine uralte Sache«, meinte Johann. »Fast alle Kriege waren eine solche Mischung. Und wer lebensgefährliche Abenteuer erlebt, weil er nach Eldorado sucht, der will ja auch nur Gold haben, und das heißt: Geld.«

»Was ist denn Eldorado?« fragte ich. »Ein Schatz?«

»Nein«, antwortete Tante Julie mir, »Eldorado ist ein Traumland, das es nicht gibt, Boy. Der englische Dichter Edgar Allan Poe hat ein Gedicht darüber geschrieben.«

»Kennst du das Gedicht?« fragte ich.

»Nur in der deutschen Übersetzung, Boy. Aber Englisch kannst du ja ohnehin noch nicht. Soll ich's dir aufsagen?«

»Uns auch«, sagte Johann, bevor ich antworten konnte, und da sagte Tante Julie uns das Gedicht von Edgar Allan Poe in deutscher Übersetzung auf:

### Eldorado

So hin wie her,
So kreuz wie quer
Ritt Ritter Schenck von Schadow
In Sonne und
Durch Schattengrund
Zu suchen Eldorado.

Doch er ward alt,
Müd die Gestalt
Des Ritters Schenck von Schadow.
Müd ward das Herz.
Ach, nirgendwärts
Sah er sein Eldorado.

Alt, ohne Kraft,
Den Leib erschlafft,
Traf Ritter Schenck von Schadow
Ein Schattenbild
Und fragte mild:
»Sagt, wo liegt Eldorado?«

»Hinter dem Mond
Auf Bergen thront,
O Ritter Schenck von Schadow,
Das Land so weit,
Reit weiter, reit!«
So sucht man Eldorado.

Da Tante Julie das Gedicht mit geheimnisvoller Stimme vorgetragen hatte, fragte ich: »Ist dieses Land Eldorado wirklich so geheimnisvoll? Oder gibt's das wirklich?«

Johann antwortete: »Beides, Boy. Die Wirklichkeit ist,
daß ein Spanier in Südamerika vor vielen hundert Jahren
einen Indianerhäuptling gesehen hat, dessen Körper für
ein Fest über und über mit Goldstaub bedeckt war. Er
nannte ihn el dorado, den Vergoldeten. Was aber geheimnisvoll an der Sache ist, das ist, daß die Kunde von dem
vergoldeten Mann von Mund zu Mund weiterlief, immer
mehr ausgeschmückt wurde und am Ende zu einem
goldenen Land wurde.«

»Aber dann ist Eldorado ja gar nicht geheimnisvoll.«

»Nein, Boy, nur im Munde der Leute«, bestätigte Johann. »Eldorado gibt es ebenso wenig, wie es Zimbale gibt.«

»Zimbale?« fragten wir zu dritt den Johann. »Was ist denn Zimbale?«

»Ihr kennt die Verse von Zimbale nicht?« Johann wundert sich. »Die kennt doch jeder Fahrensmann.«

»Ich bin aber kein Fahrensmann. Ich bin nur Mechaniker«, sagte Dappi. Und Tante Julie sagte: »Und ich vermiete Zimmer.« — »Und ich«, fügte ich hinzu, »gehe erst in die dritte Klasse.«

»Entschuldigt, daß ich das vergessen habe«, sagte Johann und lachte. »Und nun wollt ihr das Gedicht sicher hören?«

Das wollten wir natürlich, und so sagte Johann uns das Gedicht auf:

### Die unbekannte Stadt Zimbale

Kennt ihr die Stadt Zimbale,
Ihr Stadttor ganz aus Gold,
Den Silberfluß im Tale,
Der unterm Sonnenstrahle
Ins große Wasser rollt?

Ihr könnt die Stadt nicht kennen,
Den Fluß nicht, nicht das Tor.
Ihr könnt die Stadt nicht kennen,
Könnt nur den Namen nennen,
Befremdlich eurem Ohr.

Gelegen gegen Morgen,
Bleibt sie doch unbekannt
Und hinterm Meer verborgen.

Zimbale ohne Sorgen
Wird diese Stadt genannt.

Kein Mensch hat sie gesehen,
Er sei denn dort zu Haus.
Umsonst, dorthin zu gehen,
Wo ihre Mauern stehen.
Ein Zauber schließt dich aus.

Siehst du sie auch am Grunde,
Ihr Bild verfliegt, zerstiebt.
Nur eine ferne Kunde
Aus Wassermannes Munde
Zeigt an, daß es sie gibt.

Ich stelle mir Zimbale,
Das große goldne Tor,
Den Silberfluß im Tale
Bei Nacht so manche Male
In meinen Träumen vor.

Als Johann das Gedicht vorgetragen hatte, sagte Tante Julie: »Seemannsträume von versunkenen Städten und Reichen ... Aber schön geträumt.«

»Ob es für Zimbale wohl auch ein wirkliches Vorbild gegeben hat so wie für Eldorado?« fragte ich.

»In unserer Gegend, Boy, in der Nordsee«, antwortete Johann, »ist einmal ein Hafenstädtchen von der heutigen Insel Nordstrand versunken, über das viele Sagen umgehen. Es hieß Rungholt.«

»Oh, darüber kenne ich ein Gedicht«, rief ich. »Es heißt:

> Heut bin ich über Rungholt gefahren.
> Die Stadt ging unter vor fünfhundert Jahren.«

»Das Gedicht kennen wir wohl alle, Boy«, sagte Tante Julie. »Aber es gibt noch ein anderes Gedicht über Rungholt, in dem eine Einzelheit von der großen Sturmflut erzählt wird, die Ballade von den drei Pastoren. Kennt ihr die auch?«

Tante Julie sah sich um; aber wir drei Männer schüttelten die Köpfe. Da sagte die Tante: »Gut, dann sollt ihr sie hören.« Und sie trug uns vor:

### Die Ballade von den drei Pastoren

> Einst haben der Pastoren drei
> In Rungholt auf Nordstrand
> Zu dritt des Küsters Sohn getauft,
> Wohl an des Meeres Rand.
> Doch plötzlich rief von draußen her
> Das schäumende Gewässer,
> Die wilde See, das große Meer:
> »Ich taufe sehr viel besser!«

O weh, ihr Pastoren, von dannen geschwind!
Der Deich ist gebrochen, es wütet der Wind.
Ihr Herren Pastoren, was zögert ihr?
Schon klopft das Meer an die Kirchentür.

Es hörten der Pastoren drei,
Wie wild das Wasser schrie.
Doch dachten sie: Gott steht uns bei.
Und also tauften sie
Des Küsters Sohn Hans Henning Deist
Und tauften ihn im Namen
Von Vater, Sohn und Heilgem Geist
Und sagten danach Amen.
  Doch nun, ihr Pastoren, hinauf auf den Turm!
  Es schwillt das Wasser. Es tost der Sturm.
  Ihr Herren Pastoren, was zögert ihr?
  Laut klopft das Meer an die Kirchentür.

Nicht ahnten der Pastoren drei
Zu Rungholt auf Nordstrand,
Wie sehr der Mensch verloren sei
Wohl an des Meeres Rand.
Schon kam herein von draußen her
Das schäumende Gewässer,
Die wilde See, das große Meer
Und taufte nun viel besser.
  Ade, ihr Pastoren und Groß und Klein!
  Euch sehn wir nicht wieder. Das Meer bricht ein.
  Ihr Herren Pastoren, was tatet ihr?
  Das Meer brach ein in die Kirchentür.

Dappi, der bei den letzten Strophen der Ballade schon
unruhig geworden war, sagte nun: »Das kann doch wohl
nicht wahr sein, daß die Leute in der Kirche ruhig sitzen

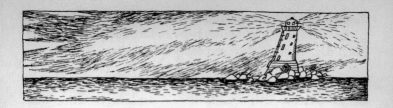

geblieben sind. Die haben doch bestimmt gehört, daß der Deich gebrochen ist. Da werden sie doch nicht sitzen geblieben sein, weil drei verrückte Pastoren das so wollten.«

»Vielleicht doch«, sagte Johann. »Wir stecken ja alle in alten Gewohnheiten wie in unseren alten Kleidern. Wenn gleich drei Pastoren auf einmal taufen, dann meinen wir, wir müßten besonders fromm und andächtig tun und das Meer wäre so lieb, darauf Rücksicht zu nehmen.«

»Aber das Meer ist kein Mitglied der Kirchengemeinde von Nordstrand«, lachte Dappi. »Es hält wahrscheinlich überhaupt nichts von Kirchen.«

»Ob es dann auch nichts von Poseidon gehalten hat?« fragte ich. »Der war doch der Gott des Meeres, als Odysseus seine Abenteuer erlebt hat.«

Tante Julie fragte: »Warum sollte das Meer sich überhaupt um solche ausgedachten Sachen kümmern? Es hat ja genug mit sich selbst zu tun. Daß solche Leute wie Odysseus oder Sindbad, der Seefahrer, oder Hans Hochhinaus auf seiner Oberfläche herumgondeln, ist ihm sicherlich auch ganz schnuppe. Der Mensch ist der Mensch. Das Meer ist das Meer. Schluß.«

Wir drei Männer lachten über Tante Julies barsche Schlußbemerkung, fragten aber dann, wer denn dieser Hans Hochhinaus wäre; denn niemand von uns dreien hatte je von ihm gehört.

»Ihr kennt die Abenteuer des Hans Hochhinaus nicht?« fragte Tante Julie verwundert zurück. »Das ist doch der Sindbad von unserer Nordseeküste, unser kleiner Odysseus.«

»Nie von ihm gehört«, sagte Dappi. Und Johann bestätigte: »Nie von ihm gehört.« So schloß ich mich den beiden an und sagte ebenfalls: »Nie von ihm gehört.«

»Dann wird es langsam Zeit für euch, etwas von ihm zu erfahren«, meinte Tante Julie. »Ich habe drei Abenteuer von ihm im Kopf, das erste, das letzte und eins dazwischen. Das erste will ich euch gleich hier erzählen. Hört zu.«

Tante Julie schlang ihre Arme über der Brust ineinander, und wir Männer machten es uns in unseren Sitzen gemütlich. Dann erzählte die Tante uns die Geschichte:

## Hans Hochhinaus
*Erstes Abenteuer: Wie der Hans ein König wurde*

In einem kleinen Fischerdorf am Rand des Meeres hatte ein Krabbenfischer einen Sohn, der Hans hieß. Der wollte schon als kleiner Junge hoch hinaus und unbedingt ein Oberfischereiinspektor werden; denn in dem kleinen Dorf, in dem der Junge lebte, gab es kein höheres Amt als das des Oberfischereiinspektors.

Die Kinder, die mit Hans in eine Klasse gingen, nannten ihn spöttisch Ofi – als Abkürzung für: Oberfischereiinspektor. Aber das störte Hans nicht, denn er dachte: »Wenn ich erst mal ein richtiger Ofi bin, spuck ich euch allen auf die Köpfe.«

Auch Hansens Vater spottete über seinen Sohn. »Mach dich ans Netzeknüpfen«, rief er ihm fast alle Tage zu. »Wer etwas werden will, muß erst was lernen.« Dann knüpfte Hans nicht ungeschickt die Netze. Doch dachte er dabei: »Wenn ich erst Oberfischereiinspektor bin, dann spuck ich allen Netzeknüpfern auf die Köpfe.«

Als nun der Hans neben dem Netzeknüpfen auch das Lesen lernte, erfuhr er aus den Büchern, daß es viel höhere und feinere Leute gibt als einen Oberfischereiinspektor. Die wurden Präsident, Direktor oder General genannt, und manche trugen Uniformen und buntes Blech vor ihrer Brust. Da wollte Hans sofort ein Generaldirektor werden; und weil er das den Leuten auch erzählte, nannte der Rechenlehrer ihn im Unterricht »Herr Generaldirektor«. Doch störte das den Hans nur wenig. Er dachte: »Wenn ich erst Generaldirektor bin, spuck ich den Rechenlehrern auf die Köpfe.«

Als Hans nun älter wurde und schon Zeitung lesen konnte, las er im »Meeresboten«, der an jedem Sonnabend erschien, der König und die Königin von Schweden hätten auf ihrem Schloß ein großes Fest gegeben. Da dachte er: »Wenn es die Könige nicht nur in Märchen gibt, sondern tatsächlich und in Wirklichkeit, dann will ich jetzt ein König werden.«

Und diesen Vorsatz faßte er, als er gerade vierzehn Jahre alt und aus der Dorfschule entlassen worden war. Er sagte seinem Vater Lebewohl (die Mutter Hansens lebte lange schon nicht mehr), nahm sich ein Netz mit etwas Wäsche drin, hängte sich das Netz an einem Stock über die Schulter und ging davon.

Er wanderte vier Jahre durch das Land, und es erging ihm dabei so wie allen Vagabunden. Und wer da meint, das wär ein Zuckerschlecken, der irrt sich sehr. Das Wandern ohne Freunde und Familie und ohne Gönner, die ein bißchen helfen, bedeutet frieren, schwitzen, hungern oder dürsten. Die netten Leute, die man dabei trifft und die das Wandern so romantisch machen, wenn einer hinterher davon erzählt, die netten Leute sind dabei sehr selten. Sie sind noch seltener als Wasserstellen in der Wüste.

Hans also zog vagabundierend durch das Land und traf dabei sehr viele Leute, mal nette und mal mürrische, mal schlechte und mal gute. Aber er schloß sich keinem Menschen an. Er wollte immer noch und unbedingt ein König werden. Er sagte das auch jedermann. Dann spotteten die meisten Leute und sagten: »Die Könige, Herr Hochhinaus, sind ausgestorben.« Aber Hans dachte sich: »In Schweden haben sie noch heute einen König. Und wenn ich erst ein König bin, dann spuck ich allen Leuten auf die Köpfe.«

Im fünften Jahre kam der Hans in eine große Stadt, die bunt geschmückt war mit Papiergirlanden. Sie hatte in der Innenstadt noch Tore; die stammten aus der Zeit, als diese Stadt noch klein gewesen war. Durch eines dieser Tore wollte Hans gerade in die Innenstadt hineinmarschieren, als ein geschmückter Pferdewagen ihm den Weg versperrte. Hans hielt die Schritte an und blickte auf. Er sah den Kutscher auf dem Kutschbock sitzen und neben ihm ein Mädchen, ungefähr von seinem Alter, das eine Krone auf dem Kopfe trug. Zufällig blickte dieses Mädchen auf den Hans hinunter und rief: »Dich kenn ich doch von unterwegs. Du bist doch der, der König werden will.« Dann wandte es sich einem feingekleideten Bedienten auf dem Wagen zu und sagte laut, so daß es jedermann ringsum verstehen konnte: »Der soll ab jetzt mein König sein.«

Wohl jeder andere an Hansens Stelle hätte die Stirn gekraust bei diesem Ausruf, oder er wäre rot geworden oder auch verlegen, oder er wäre vielleicht weggelaufen; aber der Hans — wir wissen es — wollte ja König werden. Nichts mußte ihm natürlicher erscheinen als gerade dies, daß jemand sagte: »Der hier ist der König.«

Der Hans stieg also auf den Kutschbock auf, ein Diener drückte ihm von hinten eine Krone auf sein Haar, das Mädchen, das die gleiche Krone trug, nahm seine Hand und bat um seinen Namen, und der livrierte Kutscher, der ganz rechts saß, sagte: »Willkommen, Majestät. Wohin geht unsere Reise?«

Hans, der schon oft genug König gewesen war, wenn auch nur in Gedanken, antwortete knapp und kurz: »Aufs Schloß.«

Als nun die Fahrt so durch die bunt geschmückte Stadt ging und alles jubelte und alles rief: »Es lebe König Hans«, da fiel es Hans auch nicht im Traume ein, jetzt irgend jemandem auf den Kopf zu spucken. Er war ja jetzt der König dieser Leute, und ohne diese Leute wäre er kein König. Er dachte vielmehr: »Was kann ich für die Leute Gutes tun? Sicher erwarten sie von ihrem König irgend etwas Gutes.« So fragte er das Mädchen mit der Krone, das an seiner Seite saß: »Was erwarten die Leute eigentlich von uns, Frau Königin?«

»Daß wir in jeder Nacht auf sieben Bällen tanzen«, sagte das Mädchen, »daß wir auf jedem dieser Bälle siebenmal sieben Orden verteilen und daß wir jeden Mittag an sieben verschiedenen Stellen sieben verschiedene Gerichte essen, und alles das die nächsten sieben Tage lang.«

»Also die Leute sind zufrieden, wenn wir uns vergnügen?« fragte Hans erstaunt.

»Wieso vergnügen?« fragte das Mädchen zurück. »Du hältst das wohl für ein Vergnügen? Dann wart's nur ab.«

Hans wartete ab und fand das Königsein bald nur noch halb vergnüglich. Er mußte nämlich jede Nacht lang viele Stunden tanzen; er mußte Reden halten oder Orden spenden; er mußte Kaviar und Hummer essen, was er zum Glück als Sohn von einem Krabbenfischer konnte;

er mußte Preise bei den Tombolas verteilen und immer
wieder, von der Königin begleitet, durch die Straßen
fahren, in denen man von allen Seiten rief: »Es lebe König
Hans!«

Das kleine Schloß in einem Park, in dem sein weiches
königliches Bett aus Flaum und Seide stand, das sah er
immer nur am Morgen, kurz bevor die Sonne aufging;
und leider ließ man ihn darin immer nur knapp vier
Stunden schlafen; denn gegen acht kam schon der Kam-
merdiener in das Zimmer. Der läutete ihn mit einer
Silberglocke wach und brachte Trinkschokolade und
weichgekochte Kiebitzeier und Austern in Weißwein
und zarte Bambussprossen, in Honig gewälzt.

Hans war, wenn auf dem Bettischchen die Schokolade
für ihn eingegossen wurde, stets allerübelster Laune. Er
war nämlich nicht ausgeschlafen. So sagte er dem Diener
jeden Morgen: »Wenn diese sieben Tage Tanzerei vorbei
sind, dann weck mich nur, solang du willst, mein Bester;

Dann steh ich ganz bestimmt nicht auf. Und weckst du mich trotzdem, spuck ich dir auf den Kopf.«

Der Diener sagte dann: »Wie Majestät befehlen«, lächelte aber hinterlistig, wenn er wieder ging; und einmal murmelte er: »Wart du nur, bis die sieben Tage um sind.«

Und sieben Tage Tanz und tolle Feste gehen zum guten oder bösen Ende auch einmal vorüber. Als endlich der von Hans so sehr ersehnte achte Tag anbrach, erschien der Diener wieder pünktlich mit der Klingel, doch ohne Bambusspitzen, Austern oder Schokolade. Statt dessen brachte er mit spitzen Fingern Hansens alte Kleider: die Hose mit den Flicken dran, die ausgetretenen Schuhe und das ausgebleichte Hemd. Und er rief nicht mehr: »Majestät, das Frühstück!« Er sagte vielmehr zum Hans: »Jetzt hat sich's ausgekönigt. Soeben kommt der Müllkutscher vors Schloß. Wenn du mit ihm ein Stück mitfahren willst, dann mußt du dich beeilen.«

Hans, erst halb wach, fuhr aus den weichen Daunen auf, als er das hörte. Gerade wollte er den Diener einen

Hundsfott und Halunken schimpfen, als seine Sieben-Tage-Königin in einem Baumwollkleid, das etwas knittrig war, erschien. Sie sagte: »Guten Morgen, lieber Hans. Der Karneval und unsere königlichen Tage sind vorüber. Ich geh jetzt wieder Hopfen pflücken, wenn es Zeit ist. Und was wirst du, mein Bester, tun?«

Seine nicht ausgeschlafene Majestät fing an zu stottern. Mit noch verklebten Augen fragte er: »Wa...wa... wa... was ist vorbei? Der Ka... Ka... Karneval? Wa... wa... was war ich denn dann für ein König?«

»Ein Karnevalskönig, eine Hans-Wurst-Majestät«, sagte der Diener grinsend. »Jetzt heißt's wieder tippeln gehen oder mit Müllkutschern fahren.«

»O je, der Müllkutscher!« rief die gewesene Königin plötzlich aus. »Der soll mich ja bis vor die Stadt mitnehmen. Auf Wiedersehen, Hans. Es war mit dir sehr lustig.«

Fort war die Königin und ausgeträumt der Traum vom königlichen Leben. Hans mußte unter den Augen des immer noch grinsenden Dieners in seine alten Sachen schlüpfen und zu Fuß das kleine Schloß verlassen, in das nur sieben Tage zuvor festlich geschmückte Pferde ihn mit Glanz und Gloria hineingefahren hatten.

»Immerhin«, sagte Hans, als er vom Park noch einmal auf das Schloß zurückblickte, »ich hab gelernt, daß der Beruf des Königs mir nicht liegt. Zufrieden war ich eigentlich nur ganz am Anfang, als ich so plötzlich auf dem Wagen saß und alles jubelte und meinen Namen rief. Danach gab es mehr Anstrengung als Freude. Am liebsten möcht ich mich jetzt schlafen legen.«

Gähnend verließ er den Park und wanderte durch die morgenstillen Straßen der Stadt hinaus auf das Land. Dort ließ er sich, als die Sonne zu wärmen begann, hinter Holunderbüschen auf den Boden fallen.

Dann schlief er volle vierzehn Stunden lang.

Wir klatschten, weil Tante Julie die Geschichte so hübsch erzählt hatte, in die Hände, und Johann sagte zu mir: »Siehst du, Boy, in dieser Geschichte hast du nun alles zusammen, was wir in diesen Tagen über das Wünschen gesprochen haben.«

»Was denn?« fragte ich; aber ich fragte es gedankenlos; denn während der Geschichte hatte ich unter dem kleinen Waschtisch die Maus entdeckt, die anscheinend zugehört hatte. Als wir geklatscht hatten, hatte die Maus sich auf den Hinterpfoten aufgerichtet und die Vorderpfoten zusammengelegt, als klatsche sie ebenfalls. Und das war mir denn doch höchst seltsam vorgekommen. Nun aber verschwand die Maus plötzlich in einer dunklen Ecke, und so hörte ich zu, was Johann über die Geschichte von Hans Hochhinaus sagte.

Johann sagte: »An diesem Hans Hochhinaus, Boy, siehst du nun, wie das ist, wenn einer sich gedankenlos wünscht, ein König zu sein. Er wünscht sich nämlich alle Rechte, die ein König hat, und all den Glitzerkram, der äußerlich dazugehört. Aber kaum ist er König, da merkt er, daß er auch Pflichten hat. Und nach nur sieben Tagen Königspflichten, da hat er schon genug davon. Aber ich sehe...« Johann unterbrach sich. »Ich sehe, Tante Julie versteckt ein Gähnen hinter ihrer Hand. Unsere Seefahrer werden müde sein. Gehen wir alle ins Bett.«

Und dies taten wir denn auch. Tante Julie kletterte über die Leiter in die Kammer unter mir; Johann und Dappi kletterten in die Kammern über mir; und ich richtete mir das Bett auf dem Sofa, auf dem ich bald in Schlaf fiel. Mein letzter Gedanke vor dem Einschlafen galt wieder einmal der Maus. »Dieses verflixte Nagetier«, so dachte ich, »hat die Geschichte von Hans Hochhinaus verstanden. Aber wo kommen wir hin, wenn schon die Mäuse uns verstehen können?«

DER SECHSTE TAG,
AN DEM ICH GEPLATZTE WÜRSTCHEN ZUM
FRÜHSTÜCK ESSE, DAS LIED VOM KARUSSELL
DER WÜNSCHE VERNEHME, M. M. DIE LETZ-
TEN BEIDEN ABENTEUER VON TETJUS TIMM
VORTRAGE, DIE BALLADE VOM TOD DES RÄU-
BERS UND DAS LIED VON DER ELBE HÖRE UND
AN ZWEI BEISPIELEN LERNE, WAS GESCHICH-
TEN AUF BESTELLUNG SIND. SCHILDERT, WIE
ICH MIT TANTE JULIE EINEN HUMMER AUF
DEN KLIPPEN ENTDECKE, WIE ICH MICH AM
ABEND IN JOHANNS GÄSTEBUCH EINTRAGE
UND WIE ICH ZUM SCHLUSS EIN SCHÖNES
GEDICHT ÜBER DEN LEUCHTTURM AUF DEN
HUMMERKLIPPEN VORLESEN MUSS.

Am folgenden Morgen weckte mich Gesang. Ich glaubte beim Erwachen schon, Ebby Schaumschläger wäre wieder da. Aber die helle Stimme, die da sang, war eine Frauenstimme. Es war die Stimme Tante Julies, die auf der Leiter wohl nach oben kletterte. Sie sang: »Kleine Möwe, flieg nach Helgoland...«

Da gähnte ich, streckte meine Glieder, stand auf, wusch mich ein bißchen und zog mich an. Dann schlüpfte ich in die Sandalen, die mir Badegäste auf Helgoland geschenkt hatten, und kletterte der Tante nach.

Tante Julie werkelte allein in der Küche herum. »Die Männer sind schon bei der Arbeit«, erklärte sie mir. »Möchtest du ein Ei oder ein Würstchen zum Frühstück?«

»Wenn es geht, beides«, antwortete ich.

»Nichts einfacher als das, Boy«, sagte die Tante. »Ich nehme dasselbe Wasser. Wenn das Würstchen herauskommt, kommt das Ei hinein.«

Sie stellte sogleich das Wasser auf das Feuer, warf zwei Würstchen hinein und schenkte dann uns beiden Kaffee aus einer Thermosflasche ein, die Johann bereitgestellt hatte. Dann setzte sie sich hin und fragte: »Wie gefällt's dir denn auf dem Leuchtturm, mein Junge?«

»Sehr gut, Tante Julie«, sagte ich. »Ich glaube, wenn ich groß bin, werde ich Leuchtturmwärter.«

»Bis du groß bist, wird noch viel Wasser in die Nordsee fließen«, sagte die Tante. »Warten wir's ab. Hat Johann dir eigentlich auch Geschichten erzählt, Boy? Er mag das doch so gern.«

Ich sagte, ja, er habe mir Geschichten erzählt und mir auch Lieder vorgesungen. Das schönste Lied wäre eine alte Ballade aus Flandern gewesen, die Ballade vom Ritter Ralf, und die ulkigste Geschichte wäre die von den Pechvögeln Kau und Friß gewesen.

»Die Ballade von Ritter Ralf kenne ich«, sagte die Tante. »Das ist doch die Geschichte vom Wolkenschloß, das aus Wünschen und Tönen erbaut wurde, stimmt's?«

»Stimmt, Tante Julie«, sagte ich. »Und dann reißt eine Saite von der Laute, und plötzlich ist das Schloß verschwunden.«

»So geht's halt mit den meisten Wünschen«, meinte die Tante. »Trotzdem dreht sich das Karussell der Wünsche immerzu weiter – genau wie in dem alten Lied.«

»In welchem alten Lied denn?« fragte ich.

»Im Lied vom Karussell der Wünsche. Kennst du denn das nicht, Boy?«

»Nein, Tante Julie«, sagte ich. »Und ich möchte es gern hören, aber das Wasser kocht nun schon so lange, daß die Würstchen bestimmt geplatzt sind.«

»Ach du liebes bißchen, die Würstchen!« rief Tante Julie. Sie sprang hinüber zum Spirituskocher, drehte die Flamme aus, stellte den Topf auf die Anrichte und holte mit einer Gabel zwei Würstchen aus dem heißen Wasser, die aussahen wie Seetang nach einem besonders schlimmen Orkan.

»Meinst du, die sind noch eßbar?« fragte Tante Julie.

»Aber sicher«, sagte ich. »Geplatzte Würstchen schmecken sogar ganz besonders interessant. Ich mag sie gern.«

»Dann iß das meine mit und verzichte auf das Ei«, sagte erleichtert Tante Julie. »Ich singe dir inzwischen das Lied vor. Das kann ich besser als Würstchen kochen.«

Ich verzehrte also, zusammen mit Senf und Brot, geplatzte Würstchen, und Tante Julie sang mir vor:

### Das Karussell der Wünsche

Das Karussell der Wünsche,
Es dreht sich immerzu;
Und zu der Karussellmusik,
Da singen ich und du:
    Dreh dich, dreh dich, Karussell,
    Jeder will sich drehn.
    Unsre Wünsche, laß sie schnell
    In Erfüllung gehn.

Im Karussell der Wünsche,
Da drehn sich Groß und Klein;
Und jedermann, der Wünsche hat,
Fällt in den Chor mit ein:
    Dreh dich, dreh dich, Karussell
    Jeder will sich drehn.
    Unsre Wünsche, laß sie schnell
    In Erfüllung gehn.

Das Karussell der Wünsche,
Stets dreht sich's zur Musik;
Doch eines Tages singen wir
Vielleicht ein andres Stück:
    Langsam, langsam, Karussell,
    Halte endlich ein;
    Denn wir wollen auf der Stell
    Wunschlos glücklich sein.

Unter dem Lied hatte ich die Würstchen verzehrt. So hatte ich nun die Hände frei, um Tante Julie Beifall spenden zu können.

»Ein hübsches Lied«, sagte ich. »Aber möchtest du wunschlos glücklich sein und gar keine Wünsche mehr haben, Tante Julie?«

»Ich kenne einen solchen Zustand leider nicht«, antwortete Tante Julie. »In meinem Kopf rumoren immer irgendwelche Wünsche herum. Als ich zum Beispiel hörte, daß du zum Leuchtturm auf den Hummerklippen fahren würdest, Boy, da hatte ich sofort den Wunsch, auch einmal wieder bei Johann zu sein. Und siehst du, nun ist mein Wunsch erfüllt, wenn ich auch nur einen einzigen Tag auf dem Leuchtturm sein werde.« Tante Julie seufzte, und ich seufzte innerlich auch; denn plötzlich wurde mir klar, daß dies mein letzter Tag auf dem Leuchtturm war. Am nächsten Tag sollte die »Tetjus Timm« uns ja wieder nach Helgoland bringen. Ein bißchen traurig sagte ich daher zu Tante Julie, daß ich hinunter auf die Klippen klettern möchte. Es sei mein letzter Tag auf dem Leuchtturm; den möchte ich genießen.

Tante Julie sagte: »Recht so, Boy. Genieße den Tag und genieße die Stunde. Ich meinerseits muß noch ein bißchen an dem Gedicht bosseln, das ich heute abend in Johanns Gästebuch eintragen muß. Vorsichtshalber habe ich das Gedicht schon auf Helgoland gemacht. Denk du dir auch einen kleinen Vers aus. Wer auf dem Leuchtturm war, der muß auch in das Gästebuch hinein. Da läßt Johann nicht mit sich spaßen.«

Ich versprach der Tante, über einen kleinen Vers nachzudenken. Dann kletterte ich hinunter auf die Klippen und saß keine Minute später neben der kleinen Eisentür im Felsen.

M. M. schien mich dringend erwartet zu haben. Er ließ wieder das eigenartige Schnaufen hören, das seine Reden immer begleitete, wenn er aufgeregt war. Diesmal schnaufte er: »Sag mir den Text der Flaschenpost noch einmal auf, Boy. Ich bring ihn nicht mehr zusammen.«

Ich hatte den Text noch im Kopf, und so sagte ich ihn auf. M. M. wiederholte ihn in einer Art Begeisterung – fast wie ein Gedicht: »Acht Grad östlicher Länge, fünfundfünfzig Grad nördlicher Breite, sechsundzwanzigster Mai. Wir sind gemeinsam aus dem Leben geschieden, weil die Welt unsere Liebe nicht gelten läßt. Den Finder dieses Schreibens bitten wir, unseren Angehörigen auf Schloß Cramin und im Dorf Cramin Nachricht hiervon zu geben. Eleonore Prinzessin zu Cramin. Achim Tröger.« Ein letzter Schnaufer, dann schwieg M. M., fügte aber mit leiser Stimme hinzu: »Wie romantisch!«

»Wieso ist das romantisch?« fragte ich empört. »Die beiden sind doch tot. Finden Sie das romantisch?«

»Warte nur, bis du groß bist, Boy«, antwortete M. M.,
»dann wirst du schon begreifen, was ich meine.« M. M.
ließ einen abgrundtiefen Seufzer hören. Dann fragte er,
ob er die letzten beiden Abenteuer Tetjus Timms jetzt zu
hören bekäme.

Obwohl ich mit ihm böse war, weil er den Tod der
beiden Leute aus Cramin romantisch fand, tat ich ihm
den Gefallen und sagte, fein mit Überschrift und Untertitel, auf:

**Tetjus Timm**
*Die abenteuerliche Chronik seines Lebens*
*zu Wasser, zu Lande und in der Luft*

**Siebentes Abenteuer**
**Rote Glut und weißer Schnee**

Tetjus Timm, dem braven Seemann,
Der hinausfuhr auf das Meer,
Ging zu Wasser und zu Lande
Und im Luftraum viel verquer.
Doch nun sollte er mit Nanuch,
Einem jungen Eskimo,
Wieder Richtung Heimat fliegen;
Und das machte Tetjus froh.
Mit dem steigenden Ballon
Fliegen sie nach Norden schon.

Fröhlich und in guter Laune
Schweben sie am Himmelsplan.
Da liegt plötzlich unter ihnen
Ein gewaltiger Vulkan.

Weil der Rauch von dem Vulkane
Ihnen in die Nase kroch,
Werfen sie aus ihrem Korbe
Säcke in das Kraterloch.
Es ist Sand in diesen Säcken.
Tetjus hält das für geschickt.
Denn mit Sand, so denken beide,
Ist das Feuer schnell erstickt.
Aber, ach, sie irren sich
Alle beide fürchterlich.

Denn das ungestüme Feuer
In Vulkanen ist nicht so
Wie das Feuer in den Öfen
Oder Feuer anderswo.
Als die sandgefüllten Säcke
In den Krater sind geplumpst,
Speit der Berg auf einmal Steine,
Und es donnert, kracht und bumst.

Der Ballon, der gasgefüllte,
Wird beinah ein Spiegelei,
Und die beiden in dem Korbe
Rufen ängstlich: »Weih o weih!«

Aber gottseidank entkommen
Sie dem Wüten des Vulkans,
Weitertreibend in der Richtung
Ihres alten Reiseplans.
Doch so fröhlich wie am Anfang
Ihrer Reise sind sie nicht.
Trüb und schwarz sind die Gedanken,
Trüb und schwarz ist ihr Gesicht.

Aber eine Woche später
Fühlen sie sich wieder gut,
Als das Nordlicht ihnen leuchtet,
Hell und rot wie Feuersglut.
Tetjus Timm ergreift sein Fernglas,
Schaut hinauf nach Norden und
Sieht mit freudigem Erstaunen
Einen Eskimo mit Hund.
»Nanuch«, ruft er heiter aus,
»Bald sind wir bei dir zu Haus!«

Freudig essen sie die letzten
Kürbisse aus Afrika;
Denn sie denken alle beide:
»Gott sei Dank, jetzt sind wir da.«

Aber leider, leider, leider
Fängt es gräßlich an zu wehn,
Und im Schneesturm können beide
Kaum die Hand vor Augen sehn.
Treibt der Sturm, du lieber Schreck,
Sie nun wieder weit, weit weg?

Um die Gegend zu erkunden,
Wird die Leiter ausgehängt,
Und der Nanuch steigt hinunter,
Wild vom Wind herumgeschwenkt.
Daß der Strick beinahe bricht,
Merken alle beide nicht.

Tetjus fürchtet für den Kleinen.
»Komm herauf!« ruft er erschreckt.
Aber Nanuch hat am Boden
Leute seines Stamms entdeckt.

»Freunde«, ruft der kleine Mann,
»Kommt und faßt die Leiter an!«

Nanuchs Stammesanverwandte
Greifen schnell und mit Geschick
Nach der schön geflochtnen Leiter;
Doch da reißt der linke Strick.

Heftig hört man Nanuch schreien:
»Tetjus, Tetjus, komm herab!«
Da – o Himmel – reißt im Sturme,
Ritsch, die ganze Leiter ab.
Der Ballon steigt wieder aufwärts,
Und der Nanuch liegt im Schnee,
Tetjus aber ruft von oben:
»Nanuch, lieber Freund, ade!«
Dann durch Wind und Nacht davon
Fliegt er mit dem Gasballon.

Kommt der Tetjus endlich wieder
An den heimatlichen Pier?
Tetjus' letztes Abenteuer,
Lieber Leser, zeigt es dir.

Als ich das siebente Abenteuer vorgetragen hatte,
hörte ich wieder das mir wohlbekannte Schnaufen. Dann
hörte ich M. M. sagen: »Diesen Nanuch ist der Tetjus ja
schnell losgeworden, Boy. Aber daß der zufällig seinen
eigenen Stamm entdeckt hat, weißt du, das ist doch
reichlich unwahrscheinlich. Was meinst du?«

»Ich meine, daß Sie sich erst einmal das letzte Abenteuer anhören sollten, M. M.«, sagte ich. »Kommentare
können Sie ja hinterher geben.«

»Also gut, Boy...« Ich hörte M. M. hinter der Eisentür

lachen. »Also gut, Boy, hören wir uns das letzte Abenteuer an.«

Da trug ich vor:

### Achtes Abenteuer
### Eine Flaschenpost und ihre Folgen

Tetjus Timm, der Abenteurer,
Ist nun wieder sehr allein;
Und mit seinem Gasballone
Treibt er langsam querfeldein.
Überm Eis im hohen Norden,
Wo die weißen Bären sind,
Ist es wieder Tag geworden;
Und der Tag ist ohne Wind.
Doch den Tetjus freut das nicht.
Finster ist sein Angesicht.

Ach, das Gas aus dem Ballone,
Der den Tetjus vorwärts bringt,
Es entweicht, und unser Seemann
Sinkt und sinkt und sinkt und sinkt.
Tiefer sinkt der Korb und tiefer,
Bis er plötzlich stehenbleibt
In der Mulde eines Eisbergs,
Welcher sacht nach Süden treibt.
Tetjus, Tetjus, ach, wer weiß,
Was dir blüht in Meer und Eis?

Vierzehn Tage hat der Tetjus
Auf dem Eisberg zugebracht.
In der Hülle des Ballones
Schlief er prächtig jede Nacht.
Eine Flasche Rum aus Cuba

Wärmte schluckweis untertags,
Und zum Stillen seines Hungers
Griff sich Tetjus Dorsch und Lachs.
Zwar ein kalter roher Fisch
Ist kein leckrer Mittagstisch;
Doch mit Hunger und mit Rum
Schmeckt auch roher Fisch nicht dumm.

Tetjus jedenfalls blieb munter
Und gesund in Eis und Meer.
Nur die Langeweile plagte
Unsren Abenteurer sehr.
Schließlich nahm er sich das Logbuch
Und den angehängten Stift
Und begann mit vielen Fehlern
Und mit ungelenker Schrift
Und mit Seufzen und mit Stöhnen
Aufzuschreiben mit der Hand
Seine Taten auf dem Wasser,
In der Luft und auf dem Land.
Und er schrieb und schrieb und schrieb,
Während er nach Süden trieb.

Als er alles aufgeschrieben,
Rollte er die Blätter ein,
Und dann schob er sie sehr sorgsam
In den Flaschenhals hinein.
Ja, er schob sie – gar nicht dumm –
In die Flasche, leer von Rum.

Dann verkorkte er die Flasche,
Warf sie schwungvoll in das Meer.
Und er wünschte: Gute Reise!
Und er winkte hinterher.

Fast drei Jahre treibt die Flasche
Durch die Meere, wild und groß.
Sechsmal ist sie eingefroren.
Sechsmal kommt sie wieder los.
Doch am Ende treibt sie dann
Unversehrt in Hamburg an.

Ein Reporter zieht die Blätter
Staunend aus dem Flaschenhals.
Seltsam ist der Weg der Menschen
Und der Flaschen ebenfalls.
Denn nur eine Woche später
Kehrt auch Tetjus Timm zurück.
Diesmal war's ihm gut ergangen.
Tetjus hatte Seemannsglück.
Als Matrose einer Yacht.
Hat er sogar Geld gemacht.

Auf dem heimatlichen Pflaster
Schlendert er durchs Häusermeer,
Raucht vergnüglich seinen Knaster
Und pufft Wolken vor sich her.
Doch als er den Zeitungsjungen
Rufen hört, ist Tetjus platt:
Seine eignen Abenteuer
Stehn gedruckt im Morgenblatt:
UNBEKANNTER SEEMANN SCHRIEB
FLASCHENPOST, DIE HEIMWÄRTS TRIEB!

Tetjus kauft sich eine Zeitung.
Unbewegt ist sein Gesicht.
Daß er selbst die Abenteuer
Aufschrieb, das verrät er nicht.
Irgendwo in einer Kneipe

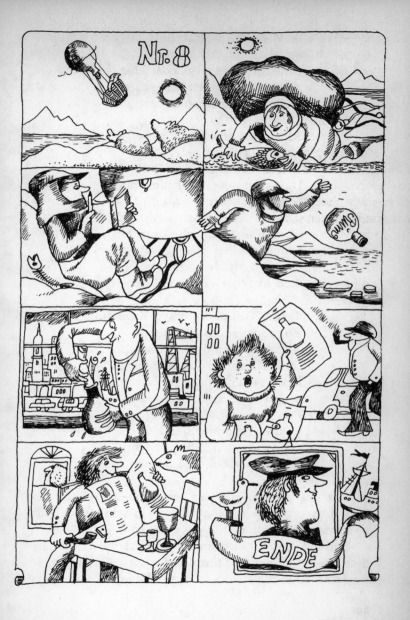

Liest er mit Begeisterung
Seine eignen Abenteuer,
Und er fühlt sich wieder jung.
Was er tat und litt und sah,
Steht in schwarzen Lettern da.

Alles, was er aufgeschrieben,
Findet Tetjus abgedruckt:
Von den Robben, dem Ballone
Und vom Berg, der Feuer spuckt.
Manchmal ruft er unterm Lesen
(Und er schlägt sich an die Brust):
»Daß ich so ein toller Kerl bin,
Hab ich selber nicht gewußt!«
Ja, es ist oft wunderschön,
Sich in Schwarz gedruckt zu sehn.

Tetjus Timm, der brave Seemann,
Zog hinaus und überstand
Abenteuer auf dem Wasser,
In der Luft und auf dem Land.
Dort, wo er als Knabe auszog,
Sitzt er nun als kluger Mann,
Der was weiß und was erlebte
Und der viel erzählen kann.
Wünschen wir ihm weiterhin
Seemannsglück und heitren Sinn!

Statt des Schnaufens, das ich nach dem Ende des Gedichtes erwartet hatte, hörte ich ein Schluchzen, und so fragte ich: »Weinen Sie etwa, M. M.?«

»Soll ich etwa nicht weinen, wenn ich Abschied nehmen muß von Tetjus Timm und seinen Abenteuern?« fragte M. M. zurück. »Rührt denn dich das nicht?«

»Ich kenne die Abenteuer ja auswendig und kann sie mir immer wieder neu aufsagen, M. M.«, antwortete ich. »Aber ich freue mich, daß Ihnen der Abschied von Tetjus zu Herzen geht. Eine Zeitlang hielten Sie seine Abenteuer ja nur für Flausen und Flunkereien von Kapitän Rickmers.«

»Und dafür halte ich sie auch heute noch«, sagte M. M. mit wieder festerer Stimme. »Aber schau, dieses Ausziehen in die Fremde und das Herumabenteuern in der weiten Welt und zum guten oder bösen Ende die Heimkehr aus der Fremde, das rührt mich immer neu, gleichgültig, ob erfunden oder nicht. Kannst du das verstehn, Boy?«

»Natürlich kann ich das verstehen«, sagte ich. »Deshalb habe ich die Abenteuer von Tetjus Timm ja auch auswendig gelernt. Und krieg ich jetzt ein neues Räuberlied zu hören, M. M.?«

»Das kriegst du, Boy. Es ist das schönste Räuberlied der Welt. Ich werde es aus Respekt im Stehen singen. Es ist das Lied vom Tod des großen Räubers.«

Ich hörte, wie M. M. sich erhob, und dann vernahm ich die Ballade:

### Der Tod des Räubers

Der große Räuber Ricco kam zum Sterben.
Drum kamen alle Räuber dieser Welt,
Um Räuber Ricco lachend zu beerben
Und fortzutragen Räuber Riccos Geld.

Doch Räuber Ricco, auch genannt der Blasse,
Gönnt ihnen nicht den Lohn der Räuberein.
Er lud – und drehte ihnen eine Nase –
Die ganze Welt zum Sterben herzlich ein.

Er ließ auf einen Rummelplatz sich tragen
Und ließ sich betten in ein Karussell
Und ließ in Stadt und Land den Leuten sagen:
Heut fährt der Räuber Ricco in die Höll.

Und Räuber Ricco zahlt für alle Leute
Den Wein, die Wurst, den Kaviar, den Sekt,
Und Räuber Ricco wünscht sich, daß es heute
Der ganzen Welt auf seine Kosten schmeckt.

Da strömte Volk herbei aus allen Gauen.
An alle Wünsche wurde da gedacht.
Ob Mädchen, Jungen, Männer oder Frauen:
Was sie sich wünschten, wurde prompt gebracht.

Und Räuber Ricco lag im Karusselle,
In einer Kutsche, die ein Tiger zog,
Und drehte sich und sah so manche Stelle,
Wo sich der Tisch vor Wein und Würsten bog.

Und als die Nacht kam, ward mit tausend Lichtern
Der Rummelplatz bengalisch aufgeschmückt.
Licht zuckte bunt auf schwitzenden Gesichtern.
Und Räuber Ricco sah's und war entzückt.

Und im Gedränge all der tausend Leiber
Erscholl ein Rufen: Dank, wem Dank gebührt!
Es lebe hoch, der heute stirbt, der Räuber!
Und Räuber Ricco hörte es gerührt.

Bis an den Morgen ging das große Sterben,
Bis blasses Frührot übers Feld herkroch.
Das Karussell, umringt von tausend Erben,
Es drehte sich nur schneckenlangsam noch.

Und als es sich nicht mehr im Kreise drehte,
Was für ein Anblick, der sich allen bot:
Breit in den Polstern lag der hingemähte
Lächelnde Räuber Ricco und war tot.

Das war nun wirklich eine prachtvolle Räuberballade.
Ich klatschte Beifall, und ich hörte M. M. geschmeichelt
fragen: »Nicht wahr, Boy, das war doch ein schönes
Abschiedslied für dich?«

Wieso war es denn ein Abschied, M. M.?« fragte ich.

»Weil unsere Kleinen Unterhaltungen heute zu Ende sind, Boy. Du fährst doch morgen zurück zu deiner Insel.«

»Ach ja, natürlich«, sagte ich; und wieder gab es mir einen kleinen Stich in die Brust, weil ich an den Abschied von Johann und vom Leuchtturm denken mußte.

Auch M. M. fühlte vielleicht so einen kleinen Stich. Er sagte nämlich: »Laß es dir gutgehen, Boy; und nun verlaß mich schnell. Beim Abschiednehmen werde ich immer so gerührt wie vorhin bei Tetjus Timm. Und das mag ich nicht. Leb wohl!«

»Leben Sie wohl, M. M., und alles Gute für Ihre Zukunft«, sagte ich. Dann sprang ich die Stufen hinauf und ging wieder ein paar Schritt abwärts zur kleinen Mole und von dort an Bord der Barkasse. Hier zog ich mich aus und machte einen Kopfsprung in das Wasser. Die Badehose hatte ich mir am Morgen vorsorglich schon angezogen.

Beim Schwimmen dachte ich: »Das ist sehr schade, daß ich den Leuchtturm und Johann morgen verlassen muß. Ob ich wohl jemals wieder hierherkommen werde?«

Obwohl ich noch an Ort und Stelle war, brachte der Gedanke, daß ich den Leuchtturm vielleicht niemals wiedersehen würde, mich fast zum Heulen. Ich konnte vor lauter Wehmütigkeit gar nicht mehr richtig schwimmen, so daß ich schnell zu der Treppe der kleinen Mole kraulte, die Stufen hinaufging und oben wieder an Bord der Barkasse sprang, wo ich mich auf den Rücken in die Sonne legte.

Unter den warmen Sonnenstrahlen verging die Wehmütigkeit rasch wieder, und nun versuchte ich zum erstenmal in meinem Leben, ein Gedicht zu machen, nämlich für Johanns Gästebuch. Einen Anfang fand ich sofort:

> Auf dem Leuchtturm war es schön.
> Doch nun muß ich leider gehn.

Dann fiel mir einfach nichts mehr ein, sosehr ich mir auch den Kopf zerbrach. Ich war deshalb froh, als plötzlich ein Schatten auf mein Gesicht fiel und ich gleich danach Tante Julie erkannte, deren Schritte ich nicht gehört hatte, weil sie auf Gummisohlen ging. Sie hatte sich umgezogen und kam ganz in Weiß auf die Barkasse: mit weißen Tennisschuhen, langer weißer Hose und einem weißen Polohemd.

Bei ihrem Erscheinen setzte ich mich auf und fragte: »Bist du etwa eine Tennisspielerin, Tante Julie?«

»Keine Spur, Boy«, antwortete sie. »Ich trage nämlich keine Tennissachen, sondern Segelkleidung.«

»Segelst du denn?« fragte ich erstaunt. »Ich habe dich noch nie auf einem Segelboot gesehen.«

»Bei Helgoland segle ich auch nicht, Boy. Die offene See ist mir zu gefährlich. Ich segle auf der Elbe. Dort habe ich das Segeln auch gelernt, mit Johann zusammen.«

»Mit Johann? Mit unserem Leuchtturmwärter? Kennst du den denn schon so lange, Tante Julie?«

»Seit meiner Kindheit, Boy.« Tante Julie setzte sich neben mich auf das Deck. »Ich kam damals nach Övelgönne an der Elbe, das ist ein kleiner Vorort von Hamburg, zu Segelmacher Sievers und seiner Familie. Und dort habe ich mit Johann und seinem Bruder Hauke als kleines Mädchen segeln gelernt.«

Ich konnte mir Tante Julie und Johann, die mir damals uralt vorkamen, als Kinder gar nicht richtig vorstellen.

Deshalb fragte ich: »Was habt ihr als Kinder denn zusammen gespielt, Tante Julie?«

»Auf der Straße haben wir meistens Spiele zum Laufen und Fangen gespielt, Boy, und im Haus Spiele zum Würfeln. Das Schönste aber waren für mich damals Segelmacher Sievers' Geschichten, die er uns abends vor dem Zubettgehen erzählt hat.«

»Und was erzählte Segelmacher Sievers für Geschichten?« fragte ich.

»Meistens Geschichten von der Seefahrt«, antwortete Tante Julie. »Aber manchmal auch Geschichten auf Bestellung.«

»Was sind Geschichten auf Bestellung?« fragte ich.

»Geschichten, die wir morgens bei Johanns Vater bestellen konnten. Tagsüber, in seiner Segelmacherwerkstatt, hat er dann über unsere Bestellung nachgedacht und die Geschichte erfunden, und abends hat er sie uns erzählt.«

»Und was für Geschichten habt ihr bei ihm bestellt, Tante Julie?«

»Ganz verschiedene, Boy. Einmal, kann ich mich erinnern, waren wir ganz wild auf Geschichten mit geheimnisvollen Erbschaften und geheimen Schlüsselwörtern und anderen geheimnisvollen Sachen. Wir dachten, das würde eine Geschichte, in der arabische Prinzen vorkommen und Felsen, die sich öffnen, und Wasserfälle, hinter denen Schätze verborgen sind. Es wurde aber eine ganz einfache Kindergeschichte, obwohl sie sich um eine Erbschaft und um ein Schlüsselwort drehte – so, wie wir es uns gewünscht hatten. Ich kenne die Geschichte heute noch.«

»Und kannst du sie mir erzählen, Tante Julie?« fragte ich. »Ich möchte nämlich gern wissen, wie so eine Geschichte auf Bestellung sich anhört.«

»Dann sollst du sie hören, Boy«, sagte die Tante. Sie zog ihre Knie an, schlang ihre Arme um die Beine und erzählte mir die Geschichte:

## Das Schlüsselwort

In alter Zeit, als man der Kraft des Wortes noch vertraute, gab es sehr viele Schlüsselwörter. Man konnte damit Felsen öffnen oder geheime Türen damit aufschließen. Sie hießen etwa »abrakadabra« oder »simsalabim« oder auch »Sesam, öffne dich«.

Heute glaubt niemand mehr, daß Wörter Felsen sprengen können. Trotzdem kann man auch heute noch durch Schlüsselwörter verborgene Kammern öffnen, etwa Geldschränke oder Tresore.

Drei Kinder, die Mathilde, Monika und Magnus hießen, können ein Lied von Schlüsselwörtern singen. Sie erbten nämlich eines Tages etwas von ihrem Onkel Martin, der in seinem Testament das folgende geschrieben hatte:

*Das, was ich meinen beiden Nichten Monika und Mathilde und meinem Neffen Magnus vermache, befindet sich in einem Wandtresor. Er ist verborgen hinter dem Bild der Bauernhochzeit im Speisezimmer ihrer Großeltern. Das Schlüsselwort, das man sehr langsam drehen muß, um den Tresor zu öffnen, ist mir allein bekannt. Nur wenn die Kinder dieses Schlüsselwort finden und damit den Tresor auch öffnen können, erhalten sie das, was ich ihnen zugedacht habe. Als kleine Hilfe will ich einen Hinweis geben: SAAL UM ELFE.*

Die Kinder guckten sich, als das Vermächtnis vorgelesen worden war, verwundert an. Sie hatten die Sache im

Grunde noch gar nicht begriffen. Nach einer Weile erst sagte der sechzehnjährige Magnus: »Der Onkel will anscheinend unsere Findigkeit prüfen. Ich glaube, das Wort, das wir suchen müssen, soll mit den Buchstaben gebildet werden, mit denen man auch SAAL UM ELFE schreibt. Das sind zehn Buchstaben. Ich werde ausrechnen, wie viele Wörter man mit diesen Buchstaben bilden kann. A, L und E kommen je zweimal vor.«

Monika, seine krausköpfige Schwester, zwölf Jahre alt, krauste die Nase, feuchtete einen Zeigefinger an und schrieb auf eine Fensterscheibe: SAAL UM ELFE. Dann versuchte sie, andere Wörter aus diesen Buchstaben zu bilden. Das erste Wort, das sie herausbrachte, hieß FA-SELMAUL.

Da sich die Kinder nun im Haus ihrer Großeltern befanden, rannte das Mädchen in das Speisezimmer, nahm ganz allein das Bild mit der Bauernhochzeit von der Wand und drehte auf dem Schlosse der Tresortür nacheinander die Buchstaben F-A-S-E-L-M-A-U-L. Aber die Tür des Wandtresors blieb fest verschlossen, und Monika entdeckte nun, daß sie nur neun Buchstaben eingestellt hatte. Einer fehlte.

Mathildchen, ihre kleine Schwester, war ihr in das Speisezimmer gefolgt. Nun hockte sie versunken vor dem Bilde, das schräg an einem Eckschrank lehnte. Sie sah das Innere eines alten Bauernhauses dort gemalt, einen sehr großen Raum, wahrscheinlich eine Tenne, in der rot, grün und blau bekleidete Leute saßen und aßen oder tranken. Gebraten wurde unter einem schwarzen Rauchfang, und Musikanten spielten auf mit Geigen, Flöten und Harmonikas. In der rechten oberen Ecke des Bildes stellte ein kleines Mädchen neben einer Standuhr eine Mausefalle auf.

Mathildchen war so in das Bild versunken, daß sie den

Magnus nicht bemerkte, der in das Speisezimmer einge-
treten war und – einen Zettel in der Hand – an dem
Tresorschloß drehte. Auf seinem Zettel stand zu lesen:
SALMFAEULE (Fischkrankheit?) – PALLSAEUME – AL-
MAS F-EULE – ALLES AUF E.

Als das Mathildchen sich nach langer Zeit aus ihrer
Hocke wieder aufrichtete und über Magnus' Schulter die
verrückten Worte las, mußte sie lachen. »Ich glaube,
diese Wörter meinte Onkel Martin ganz bestimmt
nicht«, sagte sie.

»Und welches Wort, Mathildchen, hat er dann gemeint?« fragte der Magnus sie.

»Ich glaube, das weiß ich«, sagte Mathildchen. »Aber
ich weiß nicht, wie man das einstellen muß.«

»Das ist ganz einfach«, sagte Monika, die wiederkam,
um ein paar Wörter auszuprobieren. »Um diesen runden
Knopf herum«, erklärte sie Mathildchen, »siehst du das

ganze Abc. Und den Knopf kannst du drehn. Er hat hier oben – siehst du? – einen roten Strich. Den stellst du nacheinander auf die Buchstaben des Wortes ein. Verstanden?«

»Ich glaube schon«, sagte Mathildchen. Sie rückte, da sie noch sehr klein war, einen Stuhl an die Wand, stellte sich darauf und drehte, die Zungenspitze in einen Mundwinkel geklemmt, langsam ihr Wort.

Ihre beiden Geschwister, die es spöttisch mit buchstabierten, sagten am Ende: »Immerhin ein vernünftiges Wort.« Es lautete nämlich: M-A-U-S-E-F-A-L-L-E.

»Mal sehen, ob das Wort was nützt«, sagte Magnus. Er zog am Drehknopf der Tresortür und...

...öffnete den Tresor ganz leicht.

Offenen Mundes starrten er und Monika Mathildchen an. »Wie hast du denn das herausgebracht?« fragten sie fast gleichzeitig.

Mathildchen sagte: »Durch das Bild.«

»Wieso denn durch das Bild?« fragte der Magnus.

»Weil oben eine Standuhr steht«, sagte Mathildchen. »Und auf der Standuhr ist es elf. Und ein Mädchen stellt neben der Uhr eine Mausefalle auf.«

»Ah, so«, rief Monika und schlug sich an die Stirn.

»Das also war gemeint mit SAAL UM ELFE. Jetzt bin ich aber auf unser Erbe gespannt.«

»Da drin in dem Tresor liegt nur ein Brief«, sagte Mathildchen auf dem Stuhl. Sie griff in den Tresor hinein und holte den Brief heraus.

»Mehr nicht?« fragte Monika. Aber Magnus sagte: »Warte doch ab. Ich lese euch den Brief erst einmal vor.«

Mathildchen gab dem Magnus nun den Brief, und der öffnete ihn und las laut vor:

*Liebe Mathilde, liebe Monika und lieber Magnus,*

*wenn Ihr diesen Tresor geöffnet habt, dann weiß ich, daß Ihr Augen habt zum Sehen und daß Ihr außerdem auch Phantasie besitzt. Die braucht Ihr nämlich unbedingt für Euer Erbe. Es ist ein altes kleines Fischerhaus am Meer. Aber mit Phantasie und guter Laune kann es für Euch ein Ferienschlößchen werden. Ein bißchen Geld, um dieses Haus instand zu halten, hinterlasse ich Euch auch. Gebt diesen Brief dem Doktor Klingebeil, der wird dann alles Nötige für Euch regeln.*

*Verbringt vergnügte Zeiten in dem Haus, und denkt dort manchmal auch an Euren Onkel Martin.*

Die Kinder, als sie diesen Brief gelesen hatten, strahlten.

»Man muß halt nur zur rechten Zeit das rechte Wort wissen«, sagte Martin.

»Und muß das Abc kennen und kombinieren können«, sagte Monika.

»Aber das alles nützt nichts ohne Phantasie«, ergänzte Mathildchen, die Zungenspitze in einen Mundwinkel geklemmt.

Tante Julie stand, als sie die Geschichte erzählt hatte, auf, um sich die Beine zu vertreten. Ich stand ebenfalls auf, lehnte mich an die Reling und sagte: »Die Geschichte hat mir gut gefallen, Tante Julie. Man merkt ihr überhaupt nicht an, daß es eine Geschichte auf Bestellung ist.«

»Das gehört zur Kunst des Geschichtenerzählers, Boy«, sagte die Tante, »daß die Geschichten leicht und einfach daherkommen müssen, als seien sie grad eben hier und jetzt passiert. Wenn man die Mühe der Erfindung spürt, wirken Geschichten künstlich. Geschichten sollen aber – wenn auch auf ihre eigene Weise – das Leben nachmachen. Verstehst du?«

»Ich glaube schon«, sagte ich. »Geschichten müssen nicht wirklich geschehen sein; aber sie müssen geschehen sein *können*.«

»Gut gesagt, Boy. Geschichten…« Tante Julie hielt mitten im Reden inne, blickte mit großen Augen in das Wasser des kleinen Hafenbeckens und sagte dann mit Staunen in der Stimme: »Das ist der erste Hummer, den ich in Freiheit krabbeln sehe.«

»Welchen Hummer meinst du denn?« fragte ich.

»Den dort, Boy, der neben dem großen Tangbüschel krabbelt.« Tante Julie zeigte auf die Felswand, die das Becken begrenzte, und nun sah auch ich den Hummer. Es war ein großes Tier mit riesigen Scheren, das vielleicht einen Meter unter dem Wasserspiegel über ein Felsstück dahinkroch und mit seinen Fühlern spielte.

»Wenn ich mir vorstelle, daß ich mich mit acht Beinen, zwei Kneifscheren und zwei Fühlern vorwärts bewegen müßte, wird mir ganz wirr im Kopf«, sagte Tante Julie, während wir den langsam krabbelnden Hummer beobachteten. »Manchmal verhaspele ich mich ja schon mit nur zwei Beinen.«

»Dafür kann ein Hummer keine Badegäste versorgen, keine Barkassen steuern und keine Geschichten erzählen«, sagte ich.

»Ja, Boy, seine gepanzerten Gliedmaßen nehmen ihn voll in Anspruch. Das sieht man. Und guck mal...« Tante Julie wurde ganz aufgeregt. »Jetzt will er sich den Fisch da schnappen.«

Tatsächlich hatte der Hummer die rechte Schere geöffnet, und nun fuhr sie in die Höhe und auf einen Fisch zu, dessen Schwanzwedeln der Hummer wohl irgendwie gespürt hatte. Aber der Fisch wich leicht und elegant der plumpen Schere aus, und der Hummer, durch die heftige Bewegung aus dem Gleichgewicht geraten, glitt seitwärts den Felsen hinunter und sank langsam in die Tiefe, bis wir ihn nicht mehr erkennen konnten.

»Jetzt können wir überall erzählen, daß wir auf den Hummerklippen einen Hummer gesehen haben«, sagte Tante Julie.

Und beim Mittagessen – es gab kaltes Roastbeef mit holländischer Soße – erzählte sie unseren beiden Männern denn auch von dem Hummer und seinem mißglückten Fischfang, was Johann zu der Bemerkung veranlaßte: »Nomen est omen.«

Da ich damals noch nicht wußte, was das heißt, fragte ich: »Was bedeutet denn das?«

Johann antwortete: »Das ist Latein und hat den Sinn, daß Namen etwas bedeuten. Schau, Boy, derjenige, der diesen Klippen den Namen Hummerklippen gegeben hat, der hat bestimmt gewußt, daß es hier Hummer gibt. Tante Julie sollte also eigentlich nicht erstaunt sein, wenn sie hier einen Hummer sieht.«

»Ich bin aber immer wieder erstaunt, wenn es Sachen wirklich gibt, von denen ich bis dahin nur das Wort oder den Namen kannte«, sagte Tante Julie. »Als ich als Kind zum erstenmal auf das Festland gefahren bin und der Dampfer plötzlich nicht mehr auf dem weiten Wasser fuhr, sondern zwischen Ufern links und rechts, da kam mir ganz von selbst das Wort *Fluß* auf die Lippen. Und ich sagte immer wieder, als ob es ein Zauberwort wäre: Fluß-Fluß-Fluß-Fluß.«

»Du hattest ja auch das Glück, als ersten Fluß gleich die Elbe zu sehen«, sagte Johann. »Und was ist das für ein Fluß, Tante Julie: Einer der großen Ströme Europas ist er und nicht irgendeiner!«

Johann legte Messer und Gabel auf den Tisch und blickte nachdenklich auf seinen Teller. »Es gibt da ein Gedicht über die Elbe«, sagte er dann, »das mir sehr gut gefallen hat und das ich irgendwo aufbewahrt habe. Wenn ich nur wüßte, wo!«

»War es ein Seemannslied?« fragte Dappi.

»Nein, nein, es war eins von diesen langen Gedichten. Es beschreibt die Elbe von der Quelle bis zur Mündung. Naja...« Johann fing wieder zu essen an. »Vielleicht fällt mir noch ein, wo das Gedicht steckt, bevor wir Kaffee trinken. Dann kann ich es euch zum Kaffee vorlesen.«

Zum Glück fiel Johann tatsächlich noch rechtzeitig ein, wo das Gedicht steckte. Es war der Text zu einem Musikstück mit dem Titel »Das Lied von der Elbe«, und es steckte in einem Fotobilderbuch über die Stadt Hamburg. Johann brachte den Text mit, als wir Kaffee tranken. Und den Kaffee tranken wir unten auf den Klippen, weil es ein schön gemischter Sonnen-und-Wolken-Tag war.

»An die Musik zu diesem Stück, das ich in der Hamburger Musikhalle gehört habe, kann ich mich nicht mehr erinnern«, sagte Johann, als er mit dem vergilbten Konzertprogramm ankam. »Ich kann mich nur erinnern, daß die Verse mir gefielen. Deshalb habe ich sie aufbewahrt. Und nun sollt ihr auch etwas davon haben. Sitzt ihr bequem?«

Wir bestätigten, daß unsere Plätze auf den Klippen bequem wären, und nun las Johann uns das Gedicht vor, das ich so aufschreibe, wie es damals auf dem vergilbten Konzertprogramm abgedruckt war:

### Das Lied von der Elbe

### I Quellengeriesel
*(Allegro. Lebhaft.)*

Im Riesengebirge beim Großen Rad,
Aus tiefem Schnee in der Frühlingsnacht,
Beim Weißgrund und
Beim Teufelsgrund
Sind singende springende Quellen erwacht.

Das rinnt und rieselt und gluckert hell
Und purzelt fort über Stock und Stein
Und fließt zusammen aus Quell und Quell
Und mündet plätschernd in Bäche ein.

Durch Matten murmeln die Bäche fort,
Durch Farn und Moose und tiefen Tann,

Und schwellen mählich, bald hier, bald dort,
Durch andre plätschernde Bäche an.

Dann springt der Quellbach beim Teufelsgrund
Von Fels zu Fels über nackten Stein,
Hüpft über Klippen, fällt nieder und
In den wirbelnden Weißwassergrund hinein.

Der Elbbach aber in seinem Fall
Beim Hohen Rade stürzt tiefer, und
Er rauscht zusammen in Schaum und Schwall
Mit den quirlenden Wassern vom Siebengrund.

Und was nun Elb oder Albis heißt
Und von allen Seiten zusammenrann,
Die Elbe, die Weiße, die schneeig gleißt,
Sie fängt auf dem Berge zu brausen an.

Sie drängt nach Süden, nach Böhmen zu,
Zwängt sich durch Engen mit junger Kraft
Und schickt sich dann
Auf der Höhe an,
In die Täler zu gehen auf Wanderschaft.

Johann machte, als das Wasser sich anschickte, in das Tal hinunterzuspringen, eine kleine Pause und fuhr dann mit lebhafter Stimme fort:

### II Ins Tal
*(Accelerando. Schneller werdend.)*

Nun stürzen und strudeln
Vom Bergesort
Die Wasser durch Tannen
Zu Tale fort.
Der Bergbach, hin rollt er
Durch Kieselgeröll
Im Holterdipolter,
Wird reißend schnell,
Und über die felsige Wildnis bricht's
In die Tiefe
Im Glitzern
Des Firnelichts
Und schwelgt in Schäumen
Und schwappt im Schwabb
Vom Abhang des Gebirges herab.

*(Ritardando. Langsamer.)*

Da liegt ein Städtchen am Bergesfuß,
Stadt Hohenelbe mit Schloß Czernin,
Das sieht statt des reißenden Wassers Fluß
Den Fluß beruhigt vorüberziehn.

Nun trägt er Flöße aus Stämmen schwer,
Und Flößerrufe gehn hin und her.

Nun quert er Böhmen in seinem Lauf
Und nimmt melodisch die Moldau auf.

Nun trägt er Schiffe mit Masten spitz
Und umarmt die Eger bei Leitmeritz
Und kommt noch einmal in das Gedränge
Bei Lobositz in der Felsenenge
Und strömt ins Freie und fängt sodann
Seine sächsische Tälerromanze an.

Da nun der Fluß im Tale angekommen und bis zum
Städtchen Lobositz geflossen war, machte Johann wieder
eine kleine Pause. Dann fuhr er mit fast singender
Stimme fort und beschrieb uns den Weg des Flusses
durch das Elbsandsteingebirge.

### III Tälerromanze
*(Allegretto. Mäßig schnell.)*

Nun kannst du von felsiger Warte,
Gelehnt auf einen Zaun,
In den Händen die Wanderkarte,
Auf die Elbe hinunterschaun.

Durch hohe Sandsteinklippen
Fließt sie im Tale breit
Mit Kähnen, die auf ihr wippen,
Und Wiesen und Bäumen zur Seit.

Hier kommen ihr zugeflossen,
Durch Klammen und Klippen spitz,
Die Wesenitz und die Sebnitz
Und Müglitz und Weißeritz.

Und was herumsteht an Bergen
In dem Gebirge klein,
Das nennen sie Königs- und Pfaffen-
Und Falken- und Bärenstein.

Willst du das Tal weit sehen,
Nach allen Seiten frei,
Dann mußt du oben stehen
Zu Rathen auf der Bastei.

Und kommst du zur Stadt Dresden,
Die sieben Brücken hat,
Beschaust du die Elbe am besten
Von einer der Brücken der Stadt.

Und später beim Weiterreisen
Schaust du dann hügelab
Von der Albrechtsburg zu Meißen
Auf die fahrenden Schiffe hinab.

Da stehst du noch einmal drüber
Und winkst mit einer Hand.
Vorüber, ihr Schiffe, vorüber.
Bald fahrt ihr durch ebenes Land.

Nach dem Weg des Flusses durch die romantischen
Täler schilderte Johann den Weg durch das Flachland mit
langsamer und etwas tieferer Stimme:

### IV Durchs weite Land
*(Largo. Breit, langsam.)*

Nun kommt das ebne Land der weiten Räume,
In denen Kirsch- und Apfelbäume blühn.
Nun stehn am Ufer alte Weidenbäume.
Nun strömt der Fluß dahin durch Wiesen grün;
Und wer im Gras liegt, sieht, als wären's Träume,
Die breiten Kähne unter Brücken ziehn.
Und für die Schiffer auf dem breiten Kahn
Schwimmt Wittenberg, die Lutherstadt, heran.

Nun strömt der Fluß nur manchmal noch im Tale,
Und manche Inseln hemmen seinen Lauf;
Und Mulde, Ehle, Ohre, Ihle, Saale
Und andre Flüsse nimmt die Elbe auf;
Und an den Ufern liegt die flache Schale
Der Magdeburger Börde gleich darauf.
Dann Magdeburg, die Binnenhafenstadt,
Die unsern Strom dreifach zerspalten hat.

Gemächlich fließt der Fluß nach Norden weiter,
Biegt nach Nordwest, die Havel rechter Hand,
Nimmt neue Flüsse auf, wird immer breiter,
Hat rechts die Seen im Mecklenburger Land,
Hat links die Heide, still und bienenheiter,
Wird feucht und moorig schon am Uferrand,
Strömt bis nach Lauenburg so breit daher
Und spürt beglückt den feuchten Wind vom Meer.

Wieder eine kurze Pause unseres Vorlesers Johann;
dann durfte die Elbe bis nach Hamburg und ins Meer
einfließen:

## V Ins Meer
*(Shanty)*

Sing, Seemann, sing, wenn an Land alle schlafen,
Sing in den Nächten, von Sternen erhellt,
Sing uns das Lied von dem Hamburger Hafen
Und von der Elbe als Weg in die Welt.

Sing, Seemann, sing von den Brücken und Türmen,
Michel, Sankt Pauli und Sankt Nikolai,
Sing, wie von ferne, aus Wogen und Stürmen,
Nahn die Matrosen vom Kap und Shanghai.

Sing, Seemann, sing, wie die Schiffe ausfahren,
Laß Blankenese und Glückstadt zurück,
Sing von den Deichen, die immer schon waren,
Wünsch auf den Meeren den Seeleuten Glück.

Sing, Seemann, sing, wie weit draußen derselbe
Fluß, der uns forttrug, so weit wird und leer,
Singe, wie endlich die böhmische Elbe
Breit und verwandelt einströmt in das Meer.

Nun war die Elbe in das Meer geflossen, das Gedicht war zu Ende, und Tante Julie lobte Johann, weil er die verschiedenen Teile des Gedichtes so hübsch verschieden vorgetragen hatte. Auch jemand hinter uns schien mit dem Vortrag zufrieden zu sein; denn ich vernahm ein wohlbekanntes Schnaufen. Um es zu übertönen, fragte ich schnell: »Stimmen denn alle diese Namen von Orten und Flüssen, die so schön in das Gedicht hineinpassen, wirklich, Johann?«

»Aber natürlich, Boy«, antwortete Johann. »So, wie es das Gedicht beschreibt, läuft die Elbe wirklich vom Riesengebirge hinunter und dann durch Böhmen und Sachsen nach Hamburg und ins Meer. Es ist ein Gedicht über einen wirklichen Fluß, über den Fluß, an dem ich geboren bin und an dem Tante Julie als kleines Mädchen gelebt hat. Wenn du einmal aufs Festland fahren wirst, dann wirst auch du in diesen Fluß einfahren, der im Gebirge mit kleinen Quellen beginnt und hinter Cuxhaven viele, viele Kilometer breit ins Meer einmündet.«

»Vielleicht war das Gedicht über die Elbe sogar ein Gedicht auf Bestellung«, meinte Tante Julie, »bestellt vom Verein der Elbeschiffer.«

»Gibt es denn auch Gedichte auf Bestellung?« fragte ich.

»Warum sagst du ›auch‹, Boy?« fragte Johann mich. »Was gibt es denn noch auf Bestellung?«

»Tante Julie hat mir heute erzählt, daß es Geschichten auf Bestellung gibt«, antwortete ich.

»Ach so.« Johann lachte. »Tante Julie hat dir also von meinem Vater und seinen Geschichten erzählt.«

»Was waren denn das für Geschichten?« fragte Dappi.

»Geschichten auf Bestellung«, antwortete Johann. »Morgens haben wir sie bei meinem Vater bestellt, tagsüber hat er sie erfunden, und abends hat er sie uns erzählt.«

»Und was für Geschichten«, fragte Dappi, »habt ihr denn da bestellt? Ich wüßte gar nicht, was ich bestellen sollte.«

»Oh«, rief Johann, »wir wußten das schon. Einmal haben wir eine Geschichte bestellt, in der aus einem Drachen ein Huhn werden sollte.«

»Und geht denn das?« fragte Dappi entgeistert.

»In der Geschichte ging es«, sagte Johann. »Ich kenne sie noch. Soll ich sie erzählen?«

»Mich interessiert sie jedenfalls«, sagte Dappi.

»Und mich auch«, sagte ich.

Tante Julie fügte hinzu: »Mich interessiert sie auch, weil ich sie nämlich vergessen habe.«

Da erzählte Johann uns auf den Klippen die Geschichte:

### Der letzte Drache

Vor vielen hundert Jahren, als die Zeit der Ritter mit den Rüstungen aus Eisen ihrem Ende zuging, ging auch die Zeit der Drachen, ihrer Lieblingsfeinde, ihrem Ende zu. Das merkte eine kluge Drachenmutter, die deshalb rasch ein Ei in einen tiefen uralten Vulkanschlot legte. Denn in

Vulkanschloten, so hatte sie die Menschen sagen hören, halten die Lebensmittel sich für unbegrenzte Zeiten frisch. »Vielleicht«, dachte die kluge Drachenmutter, »wird dieses Ei die Zeit der Drachen überleben und irgendwann hinauf ans Licht getragen und schließlich von der Mutter aller Drachen, der guten Sonne, ausgebrütet werden.«

Die alte Drachenmutter hatte richtig überlegt; denn viele tausend Jahre später, in unseren Tagen, seilte ein Forscher sich von einem Helikopter aus in den Vulkanschlot ab. Er fand das Ei und trug es an das Licht und schenkte es einem Museum, das es in einer Glasvitrine aufbewahrte – vor einem Fenster, das nach Süden ging.

Als der August nun kam und als ein blauer Tag dem anderen folgte, wurde das Ei wahrhaftig von der Sonne ausgebrütet; und eines Tages gegen sechs Uhr nachmittags, als das Museum schon geschlossen war, zerbrach die Schale des Eis und gleich danach auch eine Glasscheibe der Vitrine, und ein besonders hübscher kleiner Drache stand neugeboren und sehr ratlos da.

Zuerst probierte dieser kleine Drache aus Instinkt, ob er wohl auch ein richtiger Drache wäre, das heißt: ob er wohl fliegen und ob er Feuer speien könne.

Beides gelang ihm vorzüglich, aber beides hatte Folgen; denn als er Feuer spie, zerschmolz das Glas des Fensters, und als er seine Flügel öffnete und flog, segelte er durch das Fenster auf die Straße, stürzte, weil er ja ohne Flugerfahrung war, gleich ab und fiel auf einen Lastwagen, der unter dem Museumsfenster zufällig vorüberratterte.

Der Sturz des Drachen, der mit heftigem Aufprall auf dem Laster landete, hatte zur Folge, daß ein Hühnervogel aus einem Holzkäfig hinausgeschleudert wurde und daß der Drache, ohne es zu wollen, hineinrollte in diesen

Käfig, dessen Tür sich gleich darauf leise schnappend hinter ihm schloß.

Im Käfig rollte sich der Drache, der die Welt ja noch nicht kannte, ängstlich ein. Erst als der Laster hielt und als der Motor schwieg, streckte der kleine Drache seine Glieder wieder aus und spitzte seine kleinen Drachenohren, weil rings um ihn herum sehr seltsame Töne zu vernehmen waren. Daß diese Töne das Gebrüll von Löwen waren und das Geheule von Schakalen und das Geschrei von Kakadus, konnte er nicht wissen. Er konnte auch nicht wissen, wo er war, nämlich in einem Zoo.

Der Zoodirektor kam persönlich, um ihn abzuholen. Doch staunte der nicht wenig, als er den kleinen Drachen sah. Er hatte nämlich ein japanisches Perlhuhn bestellt.

»Das muß eine ganz neue Perlhuhnzüchtung sein«, rief er. Dann ließ er den kleinen Drachen behutsam in das Vogelhaus bringen, in die Abteilung für exotische Hühner; und auf ein Schild ließ er für die Besucher schreiben: »Japanisches Perlhuhn, allerneueste Züchtung.«

Als nun der kleine Drache merkte, daß alle Welt ihn für ein Perlhuhn hielt, da wünschte er so sehr, wirklich ein Perlhuhn zu sein, daß er bald wie das Huhn im Nebenkäfig zu gehen begann, trippelnd und mit immer wieder vorstoßendem Kopfe. Da er nun auch nur Perlhuhnkost bekam, wurden die Schuppen, die er hatte, langsam weich und glänzten seidig. Sie glänzten so, wie Federn glänzen. Überall aber, wo sich die Schuppen überschnitten, entstanden schwarze Punkte, so daß das Fell des kleinen Drachen von ferne aussah wie ein Perlhuhn-Federkleid.

Der Drache sah das in dem Wasser seines Trinknäpfchens sehr wohl und war erfreut darüber. »Jetzt fehlt mir

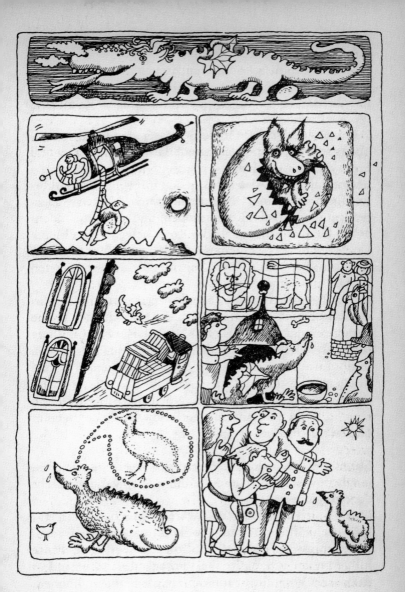

noch ein Schnabel«, sagte er und machte aus seiner Schnauze eine spitze Schnute.

Weil er nun dieses Schnutenmachen beibehielt, so sah nach wenigen Wochen – was soll ich euch sagen? – die Drachenschnauze einem Perlhuhnschnabel zum Verwechseln ähnlich.

Der Drache sah das in dem Wasser seines Trinknäpfchens sehr wohl und war erfreut darüber. »Schnabel und Federkleid hätte ich also«, sagte er. »Jetzt fehlen mir die Perlhuhnbeine.« Also legte er sich mit seinem Oberkörper flach auf seine Oberschenkel, den Rücken waagerecht und eben, den Kopf erhoben, und trippelte, indem er nur die Beine unterhalb des Knies bewegte. Der kleine Drache sah jetzt einem Perlhuhn zum Verwechseln ähnlich, und weil er diese Gangart beibehielt, gewöhnten seine Muskeln sich daran.

Der Zoodirektor, der das alles registriert und in das große Zoobuch eingetragen hatte, sagte, als der kleine Drache ein Jahr im Zoo war: »Nach dieser Verwandlung muß ich annehmen, daß die Japaner dieses gigantische Perlhuhn aus einer Echsenart gezüchtet haben. Was man in Japan alles macht: phantastisch!«

Und was soll ich euch sagen: Noch heute lebt der letzte Drache, ein sehr kleiner, als Perlhuhn verkleidet in einer Großstadt im Zoo.


Dappi rief nach der Geschichte: »Das ist ja nicht zu glauben!« Worauf Tante Julie ihn fragte, was denn nicht zu glauben wäre.

»Daß sich das anhört, als wäre es wirklich passiert!«

»Geschichten, die nicht wirklich passiert sind, müssen wenigstens passiert sein *können*«, erklärte Tante Julie ihm und sah mich dabei vielsagend an. »Zumindest in unserer Vorstellung müssen sie passiert sein können,

Dappi. Und ich kann mir einen Drachen, der sich aus lauter Gefälligkeit wie ein Perlhuhn benimmt, ganz gut vorstellen.«

»Als ich die Geschichte gehört habe, konnte ich es mir auch vorstellen«, sagte Dappi. »Aber wenn ich jetzt darüber nachdenke... Also ich weiß nicht. Mir ist das einfach zu kraus. Ich glaube, ich bringe jetzt lieber meine Werkzeuge in das Motorboot. Dann muß ich das morgen früh nicht tun.«

»Und ich packe meine Sachen ein bißchen zusammen«, sagte Tante Julie.

Da ich hinter den beiden nicht zurückstehen wollte, sagte ich, daß ich meine Reisetasche packen würde, obwohl ich kaum etwas zu packen hatte.

So kletterten wir alle hinauf in unsere Leuchtturmzimmerchen und machten uns zu tun, während Johann zu seinen Lampen ging.

Nach dem Abendessen, zu dem es Tee und geröstetes Brot mit Leckereien aus Konservenbüchsen gab, setzten wir uns wieder in das Wohnzimmer, in dem ich schlief. Die Erwachsenen tranken Grog. Ich trank gemischten Obstsaft.

Da auch die Erwachsenen beständig davon redeten, daß wir früh ins Bett gehen müßten, um am nächsten Tag für die Fahrt nach der Insel wieder früh aus den Betten heraus zu sein, fing ich von Hans Hochhinaus zu reden an; denn ich fürchtete, die Geschichte sonst nicht bis zu ihrem Ende hören zu können. Ich sagte also: »Dieser Hans Hochhinaus, Tante Julie, von dem du uns gestern erzählt hast, stammt der auch aus dem Kopf von Johanns Vater?«

Tante Julie antwortete beinahe entsetzt: »Aber nein, Boy, Hans Hochhinaus ist kein Gedankenspiel, wie der letzte Drache eines war. Er ist der Held von wirklich

erlebten Abenteuern, wie Odysseus oder Sindbad, der
Seefahrer, sie erlebten. Aus wirklichen Abenteuern, die
man sich hier an der Nordseeküste erzählt hat, ist am
Ende seine Geschichte geworden, die Geschichte von
Hans als König, die Geschichte von Hans als reichem
Mann oder die Geschichte von Hans dem Heiligen.«

»Und welche Geschichte erzählst du uns heute?«
fragte ich.

Die drei Erwachsenen lachten über meine Frage, weil
sie nun merkten, warum ich über Hans Hochhinaus zu
reden angefangen hatte. Aber das störte mich nicht; denn
nun hatte ich erreicht, was ich wollte. Tante Julie
erzählte uns nämlich:

## Hans Hochhinaus
*Zweites Abenteuer: Wie der Hans ein Reicher wurde*

Auf seinen Wanderungen hatte Hans gelernt, daß man
nicht hungern und nicht dürsten, nicht schwitzen und
nicht frieren muß, wenn man genügend Geld besitzt.
Dann baut man sich ein Haus gegen die Hitze und die
Kälte und kann sich das, was man gern essen oder trinken
möchte, kaufen. Also beschloß der Hans: »Ich will ein
Reicher werden.« Er sagte das auch allen Leuten, die er
traf. Aber die Leute lachten nur und sagten: »Reich wirst
du nur durch Gaunern und Betrügen. Ein Habenichts wie
du wird niemals ehrlich reich.« Aber den Hans störte das,
was die Leute sagten, nicht. Er dachte bei sich: »Wenn
ich erst so ein richtig Reicher bin, spuck ich euch allen
auf die Köpfe.«

Zum Gaunern und Betrügen hatte Hans nun aber kein
Talent und keine Lust. So mußte er versuchen, ehrlich
reich zu werden, und das bedeutet halt: durch Arbeit. Er
ging also in eine große Hafenstadt, an deren Rand auch

viele Fischer lebten, verdiente sich ein bißchen Geld, indem er Netze flickte, kaufte sich Garn und Schnur mit diesem bißchen Geld, machte daraus ein Netz, das er mit Glück verkaufte, und hatte bald am Hafen eine kleine Netzeknüpferei. So lebte Hans vier Jahre ehrlich und nicht unzufrieden, aber ein Reicher wurde er dabei natürlich nicht.

Im fünften Jahr sprach Hans mit einem alten Indienfahrer und fragte ihn, ob er als weitgereister Mann ihm nicht verraten könne, wie man mit Glück ein Reicher wird. »Durchs Netzemachen«, fügte er hinzu, »wird man es leider nicht.«

»Natürlich nicht«, lachte der Indienfahrer. »Reich wird der Mensch allein durch Handel. Steck das, was du an Geld hast, in die Tasche, begleite mich nach Indien, kauf dort Gewürze, Perlen oder Seide, verkauf das später hier in dieser Stadt; und du wirst sehen, daß du bald ein reicher Mann bist.«

»Gut«, sagte Hans. »Der Vorschlag läßt sich hören. Ich werde dich nach Indien begleiten.«

Nun holte Hans all sein Erspartes von der Bank (die eine Bank zum Geldverleihen, nicht zum Sitzen war), verkaufte auch das kleine Haus, das er ein Jahr zuvor erworben hatte, bestieg – das Geld in einem Lederbeutel vor der Brust – das Schiff des alten Indienfahrers und fuhr erwartungsvoll in Richtung Mangalore.

Die Fahrt führte zwei Wochen lang um Afrika herum. Es gab ein bißchen Sturm und böses Wetter; aber das Schiff war stark und trotz allen Wellen. Im Ozean aber, den man den Indischen nennt, gar nicht sehr weit entfernt von Mangalore und der Küste, gab's einen solchen Sturm, daß manche Wellen hoch wie Türme waren. Das Schiff wurde von diesen Wellen in schwindelnde Höhen gehoben, um gleich danach in tiefe Wellentäler abzurutschen. Und dies geschah zu allem Unglück auch noch zwischen einem Schwarm von Inseln, vor deren Küsten es lange, für die Schiffe tückische Riffe gab. Es sah für das Schiff und für die Menschen, die es trug, sehr böse aus. Das wußte auch der Hans, der ja am Meere aufgewachsen war. Er tastete nach seinem Geld, das er im wasserdichten Beutel vor der Brust trug, und dachte: »Was nützt das Geld uns, wenn wir tot sind?«

Er stand, als er so dachte, an eine Holzsäule geklammert, im Steuerhaus neben dem alten Indienfahrer. Stets, wenn das Schiff hinunterrutschte in ein Wellental, schien Hansens Magen in den Hals hinaufzurutschen. Ihm war sehr übel, und von all dem Lärm von Wind und Wellen war er beinah taub. Eine Verständigung mit dem alten Indienfahrer war unmöglich. Sie hatte bald danach auch keinen Sinn und Zweck mehr. Das Schiff war nämlich auf ein Riff geknallt und in zwei Teile auseinandergebrochen. Der Heckteil mit dem Steuerhaus, in dem Hans und der alte Indienfahrer hin und her geschüttelt wurden, sank sofort, blieb aber dann auf irgendeinem Felsen stecken, wurde vom nächsten Wellenberg wieder emporgehoben und ein Stück davongetragen und landete danach auf irgend etwas Weichem. Hier gingen wieder Wellen drüberhin; aber das halbe Schiff saß schwankend fest und blieb an dieser Stelle, bis der Sturm vorüber war. Da tasteten die zwei erschöpften Männer sich zur Tür des Steuerhauses hin und sahen, daß das Schiffsheck in den Kronen einer Gruppe hoher Kokospalmen stak.

»Jetzt heißt's gesund und heil hinunterkommen«, keuchte Hans. Doch diese Schwierigkeit wurde ihm abgenommen. Das Schiffsheck nämlich, das zuvor vom Wasser mitgetragen worden war, wurde zu schwer für die paar Palmenkronen und sank zwischen den Stämmen in die Tiefe, erst langsam, aber danach immer schneller,

und schließlich plumpste es mit einem kräftigen Bums, knirschend an allen Ecken, auf den Boden. Da konnten Hans und der alte Indienfahrer, wenn auch mit Beulen und mit vielen blauen Flecken, das Steuerhaus bequem verlassen.

Sie fanden sich auf einer Kokospalmeninsel mit einem langen weißen Sandstrand wieder. Trümmer des Schiffes bedeckten weithin den Sand; doch von den anderen Menschen, die das Schiff getragen hatte, war nichts zu sehen. Vielleicht waren sie tot, vielleicht auf andere Strände verschlagen.

Auch in den nächsten Tagen blieben die beiden Männer allein auf ihrer Insel, auf der sie sich von Fleisch und Milch der Kokosnüsse nährten. Am vierten Tage sagte Hans zum alten Indienfahrer: »Da bin ich mit dir ausgezogen, um ein reicher Mann zu werden, und nun sitze ich einsam und in Fetzen unter Palmen und nähre mich von Kokosnüssen.«

»Aber all dein erspartes Geld trägst du noch vor der Brust«, sagte der alte Indienfahrer. »Da du im Sturme Glück gehabt hast und noch lebst, warum sollst du nicht auch mit deinem Geld Glück haben?«

»Vorausgesetzt, wir kommen jemals wieder weg von dieser Insel«, sagte Hans. »Glaubst du, daß Schiffe je an diesem Strand vorüberfahren?«

Die Frage wurde Hans am nächsten Tag beantwortet. Es kam nämlich ein großes Handelsschiff vorüber. Das fuhr so nah am Strand vorbei, daß man an Bord die beiden rufenden und winkenden Schiffbrüchigen nicht nur erkennen, sondern sogar ihr Rufen hören konnte. Da ließ der Kapitän das Schiff vor Anker legen und schickte drei Matrosen in einem Ruderboot zum Strand.

Hans und der alte Indienfahrer umarmten und küßten die drei Matrosen, die sie abholten, vor Freude und erzählten später auf dem Schiff, das weiterfuhr nach Mangalore, wie sie auf das Riff geschlagen und dann von hohen Wellen auf hohe Kokospalmen abgeladen worden waren.

»Und nun«, sagte zum Schluß der alte Indienfahrer, »komme ich doch noch bis nach Mangalore, nur leider nicht mehr auf dem eigenen Schiff.«

Vier Tage später war das Schiff in Mangalore. Hans und der alte Indienfahrer bedankten sich beim Kapitän noch einmal für die Rettung und gingen dann von Bord.

An Land, kaum hundert Schritt weit von dem Schiff entfernt, begegnete der alte Indienfahrer einem Freunde, der hier ein Haus hatte und ihn und Hans einlud, in diesem Haus zu wohnen. Hans aber, der dem wilden Ozean entkommen und wieder unter Menschen war und vor der Brust den Beutel mit dem Geld trug, war unternehmenslustig und auf Handel eingestellt und wollte hier, in diesem fremden Hafen, sein Glück beginnen und ein Reicher werden. So sagte er dem alten Indienfahrer Lebewohl, bedankte sich bei dessen Freund für seine Einladung und ging dem Lärm nach, der von einer großen Menschenmenge herzukommen schien.

So kam der Hans zu einem Platz, der in der Mitte eine viereckige Plattform hatte, auf die von allen Seiten Stufen führten. Ein Dach aus grüner Seide war darüber ausgespannt, und unter diesem Dach fand irgendeine Art Verhandlung statt. An einem Tische saßen Männer, die wohl Richter waren, und an den Kopfenden des langen Tisches saßen zwei sehr reich gekleidete Männer, der eine lauernden Gesichtes mit verschränkten Armen, der andere damit beschäftigt, Geld auf den Tisch zu zählen.

Um den erhöhten Platz herum stand eine riesige Menschenmenge und zählte jedes Goldstück mit, das jener Mann bedächtig auf den Tisch hinzählte: »Zwanzigtausendhundertfünfundzwanzig... Zwanzigtausendhundertsechsundzwanzig...«

»Was geht denn hier vor?« fragte Hans einen Mann in der Menge.

»Es ist das alte Spiel, mein Herr«, sagte der Mann. »Der Herr der Elefantenläuse und der Herr der Kaffeebohnen sind wieder einmal aneinandergeraten. Diesmal muß der Herr der Elefantenläuse dem Herrn der Kaffeebohnen siebzigtausend Goldstücke bezahlen. Fehlt auch nur eins an siebzigtausend...«

»Entschuldigung«, unterbrach Hans den Mann, »wer sind denn diese beiden Herren?«

»Reiche und Leuteschinder«, erwiderte der Mann. »Der eine hat Kaffeeplantagen, der andere die Nierenbäume, auf denen Elefantenläuse wachsen.«

»Elefantenläuse?«

»Das sind Nüsse, mein Herr. Sie werden viel verlangt und gut bezahlt.«

»Und worum geht der Streit der beiden Herren?«

»Um die Kaffee- und Nüssepflücker. Sollte der Herr der Elefantenläuse dem Herrn der Kaffeebohnen heute nicht die Schuldscheine bezahlen, die jener dessen Schuldnern abgekauft hat, sollte an siebzigtausend Goldstücken auch nur ein einziges fehlen, dann werden alle Pflücker dieses Jahr nur Kaffeebohnen pflücken, die Elefantenläuse aber werden vertrocknen oder verfaulen, weil niemand kommt, sie von den Ästen abzunehmen.«

»Und wenn der Mann bezahlen kann?«

»Dann wird es so wie meistens sein: Die Hälfte der Pflücker wird Kaffeebohnen pflücken, die andere Hälfte Elefantenläuse. Die Pflücker sind ja Sklaven. Sie gehören diesen beiden Herren. Drum können sie mit ihnen handeln wie mit Nüssen.«

»Und hat der Herr der Elefantenläuse siebzigtausend Goldstücke?« fragte der Hans.

»Wir wissen's nicht genau«, sagte der Mann. »Ein Kilo Gold, so wird behauptet, fehle ihm daran.«

»Oho«, dachte der Hans nach dieser Antwort. »Was ich im Beutel vor der Brust trage, das ist genau der Wert von einem Kilo Gold. Mal sehen, ob ich das dem Mann nicht leihen und so ein Reicher werden kann.«

Hans drängte sich nach vorn, nah an die Plattform, und zählte jedes Goldstück mit der Menge mit. Das dauerte sehr lange, viele Stunden; doch blieb der Hans geduldig. Und die Geduld wurde am Schluß belohnt.

Als bei dem Herrn der Elefantenläuse die Goldstücke zu Ende gingen, zählte die Menge bei den letzten dreien: »Neunundsechzigtausendneunhundertachtundfünfzig... neunundsechzigtausendneunhundertneunundfünfzig ... neunundsechzigtausendneunhundertsechzig.«

Aus war es mit den Goldstücken. Die Menge hielt den Atem an; der Herr der Elefantenläuse aber wurde im

Gesicht krebsrot, als er mit leeren Händen dastand. Der Herr der Kaffeebohnen aber stand steil aufgerichtet da und sagte: »Ihr sehr verehrten Herren Richter, mein Schuldner kann die volle Schuld nicht zahlen, wie Ihr seht. So habe ich das Recht...«

»Halt!« unterbrach ihn einer der Richter am Tische. »Dem Schuldner steht das Recht zu, den Rest der Schuld von einem, der uns zuschaut, zu erbitten. Wir müssen abwarten, ob er auf diese Weise vielleicht den Rest des Geldes noch bezahlen kann. Es fehlen vierzig Goldstükke zu fünfundzwanzig Gramm. Das ist der Wert von einem Kilo Gold.«

»Und den hat niemand unter diesem Bettelvolk da unten«, knurrte der Herr der Kaffeebohnen mit zufriedener Miene.

Der Richter aber fragte laut: »Ist einer unter euch willens und fähig, dem Schuldigen den Gegenwert von einem Kilo Gold zu leihen?«

Die Menge schwieg. Man sah sich gegenseitig an. Aber kein Arm erhob sich und auch keine Stimme. Hans, der sich hätte melden können, wollte abwarten, was der Herr der Elefantenläuse, der zitternd und nach Atem ringend dastand, bieten würde.

Und der bot viel, als er sich an die Menge wandte. Er sagte nämlich: »Ich bin ein alter kranker Mann, der nicht mehr lange leben wird. Wer mir den Rest der Schuld an dieser Stelle und an diesem Tage leiht, der wird mein einziger Erbe sein.«

Der alte Mann dort oben sah so sterbenskrank aus, daß jeder dachte: »Der macht es nicht mehr lange.«

Das dachte sich natürlich auch der Hans. Und so beschloß er, dem da oben all sein Geld zu leihen. Er stieg einfach die Stufen hinauf, schnürte den Beutel auf, den er am Halse trug, und zählte seine Silbertaler auf den Tisch. Sie hatten den Wert von einem Kilo Gold.

»Wenn du vor diesen Richtern schwörst, daß ich dein einziger Erbe werde«, sagte Hans zum Herrn der Elefantenläuse, »dann leihe ich dir diese Summe Geldes.«

Der Herr der Elefantenläuse atmete laut aus und sagte: »Ich werde es schwören.«

Die Menge begann zu rauen, die Richter baten um Ruhe; der Herr der Kaffeebohnen aber begann zu zittern, doch nicht vor Furcht, sondern vor Wut. Er stieg stampfenden Schrittes die Stufen hinab, ging aufrecht durch die Menschenmenge davon und drehte sich kein einziges Mal mehr um.

Die Richter oben aber ließen nun den Herrn der Elefantenläuse schwören, daß Hans sein einziger Erbe sein und alles von ihm erben würde. Dann gab der Hans dem Mann sein Geld, und der ließ es mitsamt dem anderen Geld in Säcke füllen und es dem Herrn der Kaffeebohnen

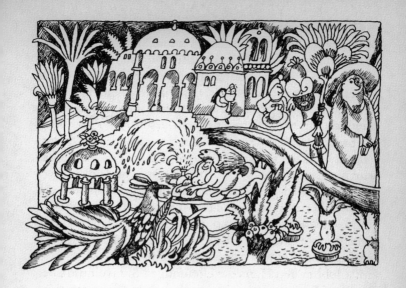

durch einen richterlichen Diener bringen. Die Richter stellten feierlich fest, er habe seine Schuld bezahlt.

Am selben Tag noch zog Hans ins Haus des reichen Mannes, der ihn in die Geschäfte einarbeiten wollte. Jedoch die Aufregung hatte dem alten Mann zu sehr geschadet. Er mußte sich ins Bett legen und Ärzte rufen lassen, die alle sehr bedenkliche Gesichter machten und sagten, daß man mit dem Schlimmsten rechnen müsse. Und wirklich hatten die Ärzte recht; denn als der Tag zu Ende war, war es auch mit dem alten Mann zu Ende. Er starb vor Mitternacht, und so, buchstäblich über Nacht, war Hans mit einemmal ein reicher Mann.

Aber als Hans so plötzlich reich geworden war, spuckte er keineswegs den Leuten auf die Köpfe, wie er sich's oft im Kopfe vorgenommen hatte. Er dachte ganz im Gegenteil: »Als reicher Mann sollte man denen, die viel ärmer sind, was Gutes tun. Aber wie mach ich das?«

Die Sorge um das Geldausgeben wurde ihm am nächsten Tag schon abgenommen. Da kam nämlich die große Familie des reichen Mannes zu ihm, und alle weinten und sagten: »Jetzt sind wir enterbt. Wie sollen wir denn unsere Diener jetzt bezahlen und unsere seidenen Kleider und unseren Wein und die feinen gebratenen Täubchen, da uns ja jetzt nichts mehr gehört?«

»Sagt nur, was ihr an Geld benötigt«, sagte Hans. »Dann will ich's euch an jedem ersten Tag im Monat geben.« Dann ging er zu den Nierenbaumgehölzen, wo die Sklaven in Bambushütten lebten, und sagte: »Ab heute seid ihr freie Menschen. Jedem von euch gebe ich hundert Goldstücke, wenn die Geschäfte wieder laufen. Und wenn ihr später Elefantenläuse für mich pflückt, zahl ich euch einen guten Tageslohn.«

Da lobten den Hans die ehemaligen Sklaven, und des reichen Mannes Familie lobte ihn auch, und viele arme Leute in der Stadt, denen er Goldstücke versprach, die lobten Hans ganz ebenso. Als er zur Nacht wieder einmal in seidenen Kissen schlafen ging, da war er sehr mit sich zufrieden und hatte keinem Menschen auf den Kopf gespuckt und war doch nun ein reicher Mann.

Nun ist aber ein reicher Mann in Mangalore bei weitem nicht so reich, wie manche Maharadschas es in anderen Teilen Indiens sind. Und siebzigtausend Goldstücke hatte der reiche alte Mann vor seinem Tode ja dem Herrn der Kaffeebohnen geben müssen, das letzte bare Geld, das er besaß. Und daß er überhaupt so reich geworden war, lag daran, daß er geizig gewesen war. Seiner Familie, der der Hans viel Geld versprochen hatte, hatte der Alte nur das Nötigste gegeben. Und seinen Sklaven, die der Hans bezahlen wollte, hatte der Alte nur die Mahlzeiten bezahlt und manchesmal ein Kleid oder Sandalen oder Hemd und Hose.

Und niemand hatte all das viele Geld verwaltet, einge-
teilt und ausgegeben als nur der alte Mann allein. Und
dieses Geld hatte sich nicht vermehrt auf Banken, sondern es war in Truhen, Schränken oder Schachteln aufbewahrt gewesen. Hans fand zuweilen an den merkwürdig-
sten Stellen Geld; und wenn nicht er es fand, dann fand's
ein andrer und trug's in aller Stille mit sich fort.

Als Hans am vierten Tage seines Reichtums in Geld
und Güter Ordnung bringen wollte, brachte er's nicht
zustande, sondern holte einen Mann, der als geldkundig
und geschäftserfahren galt. Dem sagte er: »Ich bin doch
nun ein reicher Mann. Wo bleibt denn nur das Geld?«

Da sagte der geschäftserfahrene Mann: »Der Reichtum
dieses Hauses kam nur von den Elefantenläusen und den
Sklaven. Die Sklaven nämlich pflückten fast umsonst.
Nur Essen kriegten sie und manchmal etwas Kleidung.
So war das Pflücken dieser Nüsse billig. Und billig
wurden sie daher verkauft.«

»Ich habe den Sklaven aber die Freiheit geschenkt«,
sagte der Hans nicht ohne Stolz.

»Jaja, ich weiß«, sagte der geschäftserfahrene Mann.
»Und hundert Goldstücke hast du jedem nach der Ernte
versprochen. Es sind aber Menschen, die noch niemals
Geld in ihren Händen hatten. Jetzt denken sie, sie seien
reich, und kaufen alles mögliche und sagen, sie bezahlen
später. Und die meisten von ihnen wollen niemals in
ihrem Leben wieder Elefantenläuse pflücken. Du wirst
dir teure Pflücker aus anderen Provinzen holen müssen.«

An diesem vierten Tage seines Reichtums merkte
Hans, daß er vom Gelderwerben einfach nichts verstand
– es sei denn, daß er Netze knüpfte. So fragte er den
geschäftserfahrenen Mann, ob er, der Hans, ihm alles
dieses schenken dürfe, das feine Haus, dazu die Nierenbäume und all die vielen Nüsse an den Zweigen.

Aber der Mann lachte ihn aus und sagte: »Ohne die Sklaven, Bester, funktioniert das alles nicht. Und du hast sie ja frei gemacht und ihnen goldene Berge versprochen, die du gar nicht hast. Wenn ich dir eines raten darf: Fahr weg! Vielleicht werden die Sklaven klug und praktisch. Oder sie rutschen auf den Knien zum Herrn der Kaffeebohnen, um wieder Sklaven zu werden. Du jedenfalls, mein Lieber, kannst hier nichts mehr retten. Fahr weg!«

Da schlich der Hans am fünften Tage in der grauen Frühe auf ein Schiff, auf dem er mit dem letzten Gold, das er besaß, die Überfahrt zu seinem Vaterland bezahlte.

Als dieses Schiff ins offene Meer hinausfuhr, ging hinter Mangalore grad die Sonne auf, und Hans rief fast vergnügt der Stadt zu: »Lebewohl!«

»Immerhin«, sagte er, als er sich später auf die Ankerkette setzte, »ich hab gelernt, daß der Beruf des Reichen

mir nicht liegt. Zufrieden war ich eigentlich nur am Anfang, als ich so feierlich zum Erben ausgerufen wurde. Danach gab es mehr Ärger als Glück oder Freude. Und nun bin ich müde und will ein bißchen in der ersten Sonne schlafen.«

Gelehnt an einen Mast, schlief Hans auf einer alten aufgerollten Ankerkette ein; und immer kleiner wurde in der Ferne Mangalore.

Als Tante Julie nach der Geschichte schwieg, sagte Dappi: »Das war eine schöne Geschichte über das Reichsein. Nämlich die Leute, die vom Reichsein träumen, die denken hauptsächlich daran, daß sie sich dann alle Wünsche erfüllen könen. Aber was am Geld alles dranhängt, das Planen-Müssen und die Arbeit von so manchem armen Schlucker, daran denken sie meist nicht. Ich für meinen Teil möchte nicht reich sein.«

»Ich auch nicht«, sagte Johann sehr bestimmt. »Da wär ich ja der Sklave meines Geldes. Hier auf dem Turm aber bin ich ein König.«

»Aber ein König ohne Schatz«, sagte Tante Julie.

»Und hab ich keinen Schatz«, entgegnete Johann, »hab ich doch alles, was ich schätze: viel Zeit und meine Bücher und das Meer und leckere Hummer und meinen weißen Turm, der nachts den Schiffen leuchtet.«

»Und diesen Turm«, sagte Tante Julie, »habe ich besungen.«

»Du hast ein Leuchtturmlied gemacht?« fragte Johann.

»Nein«, antwortete die Tante. »Ich habe ein Gedicht über ihn gemacht, und das will ich jetzt in das Gästebuch eintragen.«

Bei der Erwähnung des Gästebuches fiel mir ein, daß ich ganz vergessen hatte, einen Vers dafür zu dichten, wie Tante Julie es mir vorgeschlagen hatte; aber dann dachte ich an die zwei Zeilen, die ich auf der Barkasse gereimt hatte, und überlegte mir, daß das für einen Jungen von acht Jahren eigentlich genug wäre. Und das beruhigte mich, als Johann nun das Gästebuch aufgeschlagen auf den Tisch legte.

Dappi trug sich als erster in das Buch ein. Er schrieb:

»Lampen repariert. Öltank ausgebessert.
 Jasper Lorenzen, genannt Dappi, Mechaniker.«

Dann trug ich mich ein und schrieb:

»Auf dem Leuchtturm war es schön.
 Doch nun muß ich leider gehn.
               Gedichtet für Johann von
               Deinem Boy.«

Nun war Tante Julie an der Reihe, und die schrieb und schrieb und schrieb, ohne ein einziges Mal abzusetzen.

»Das scheint ja ein recht langes Gedicht zu werden«, meinte Dappi.

»Es hat sieben Strophen«, sagte Tante Julie und legte in eben diesem Augenblick den Füllfederhalter, mit dem sie das Gedicht eingetragen hatte, zur Seite.

»Darf ich das Gedicht sehen?« fragte Johann.

»Nein«, antwortete Tante Julie. »Du sollst es zuerst hören. Boy, kannst du meine Schrift lesen?«

»Ich glaube schon, Tante Julie«, sagte ich. Und als ich mir das Gedicht im Gästebuch anguckte, fand ich es sogar leicht lesbar, weil Tante Julie es in Druckschrift geschrieben hatte.

»Liest du es uns vor, Boy?« fragte Tante Julie.

Ich sagte: »Sehr gern«, blätterte in dem Buch zurück, um den Anfang des Gedichtes zu finden, und las:

»Immer wieder komm ich her
Zu dem weißen Turm im Meer.
Und ich wünsche fröhlich-fromm,
Daß ich bald schon wiederkomm.
                    Dein Ebby Schaumschläger.«

Die drei Erwachsenen lachten, weil ich die falsche
Seite erwischt und den Vers von Ebby Schaumschläger
vorgelesen hatte.

»Der Vers hörte sich hübsch an«, sagte Johann. »Aber
nun wollen wir Tante Julies sieben Strophen hören,
Boy.«

Da schlug ich die richtige Seite auf und las vor:

## Der Leuchtturm auf den Hummerklippen

Wo niemals wachsen Gras und Klee,
Wo niemals die Libellen wippen,
Wo niemals Falter, leicht wie Schnee,
Von bunten Blütenkelchen nippen,
Ragt weiß und einsam aus der See
Der Leuchtturm auf den Hummerklippen.

Zuweilen fährt ein Schiff vorbei
Und senkt und hebt zum Gruß die Fahne,
Zuweilen hallt ein Möwenschrei
Schrill überm weiten Wasserplane.
Der Turm, er steht, allein und frei
Und schön und schlank, im Ozeane.

Die Wellen wogen weit herum,
Von Nord nach Süd, von West nach Osten,
Der weiße Turm schert sich nicht drum.
Er steht im Meer gelassen Posten.

Und Hilferufe treiben stumm
An ihm vorbei in Flaschenposten.

Im Sommer hörst du hier das Meer
Leicht schmatzend an den Steinen nippen,
Und grüner Tang hängt feucht und schwer
Herab von dunklen Felsenrippen,
Und Segler segeln singend her
Zum Leuchtturm auf den Hummerklippen.

Doch kommt der erste Herbstorkan
Und Wellen brechen sich am Steine
Und ringsum tobt der Ozean
Und Donner grollt zum Blitzesscheine,
Bist du hier – wie im Turm der Mann –
Ein bißchen bang und sehr alleine.

Und winters dann, wenn wochenlang
Eisschollen grau vorübertreiben
Und tags und nachts mit stumpfen Klang
Sich knirschend aneinander reiben,
Horchst du auf dieses Knirschen bang
Beim Lesen oder Briefeschreiben.

Doch naht der Lenz, kommt von allein
Ein leichtes Lied dir auf die Lippen.
Du kannst vom wieder warmen Stein
Den nackten Fuß ins Wasser stippen.
Und schön bemalt der Sonnenschein
Den Leuchtturm auf den Hummerklippen.

Wir drei Männer klatschten der Tante Beifall, nachdem ich das Gedicht vorgelesen hatte.

»Das werde ich mir drucken und einrahmen lassen«,

sagte Johann. »Vielen, vielen Dank, Tante Julie! Aber wenn ich jetzt einen Vorschlag machen darf, dann ist es der, ins Bett zu gehn. Morgen müßt ihr zeitig losfahren, Kinder. Und für die Fahrt solltet ihr ausgeschlafen sein.«

Da sagten die drei Erwachsenen mir gute Nacht und kletterten in ihre Zimmer, und ich machte mir mein Bett auf dem Sofa und legte mich nieder für die letzte Nacht auf den Hummerklippen. Wenig später vermeinte ich, im Halbschlaf ein feines Stimmchen zu hören, das mir eine gute Nacht und auf Wiedersehen wünschte. Aber ich war zu müde, um darüber nachzudenken, ob das nun eine wirkliche oder nur eine eingebildete Stimme war. So schlief ich ein.

DER SIEBENTE TAG,
AN DEM ICH BEI DUNKELHEIT GEWECKT WER-
DE, WEHMÜTIG ABSCHIED NEHME VON JO-
HANN UND DEM LEUCHTTURM, MIT TANTE
JULIE UND DAPPI HEIMFAHRE ÜBER DAS
MEER UND ZUSAMMEN MIT VIER MÖWEN
DIE GESCHICHTE VOM WUNSCHBAUM HÖRE.
BESCHREIBT EIN SOMMERGEWITTER AUF
OFFENER SEE, PRÄSENTIERT ZWEI WUNSCH-
GEDICHTE UND DAS LETZTE ABENTEUER
VON HANS HOCHHINAUS UND TEILT ZUM
SCHLUSS MIT, DASS ICH HEIMKEHRE ALS EIN
WEITGEREISTER JUNGE.

Es war noch dunkel, als jemand von außen an die Tür meines Leuchtturmzimmerchens klopfte. Nur das künstliche Licht des Leuchtturms fiel in die Fenster herein. Der Klopfer war Johann. Er rief: »Denk langsam ans Aufstehen, Boy. In einer Stunde fahrt ihr los, und vorher müßt ihr noch frühstücken.«

»Ist gut, Johann«, rief ich zurück. »Ich mach mich langsam fertig.«

Ich hörte, wie Johann wieder nach oben kletterte, tastete im Leuchtturmlicht nach den Streichhölzern auf dem Tisch, fand sie, entzündete eines und machte damit die Petroleumlampe an, deren Docht ich etwas höher schraubte, um im Zimmerchen mehr Licht zu haben. Dann tat ich all das, was ich jeden Morgen getan hatte, zum letztenmal auf dem Leuchtturm: Ich wusch mich zum letztenmal in der Rosenschüssel; ich goß das Waschwasser zum letztenmal in den Eimer und vom Eimer aus dem Fenster; ich schlüpfte hier zum letztenmal in meine Kleider; ich zog mir hier zum letztenmal die Schuhe an, die diesmal feste Reiseschuhe waren; ich kämmte mich hier zum letztenmal vor dem kleinen runden Spiegel; und ich kletterte, als es langsam hell wurde und ich die Petroleumlampe ausgedreht hatte, zum letztenmal hinauf zur Küche, um zu frühstücken.

Was in der Küche auf Tisch und Anrichte an eßbaren Sachen herumlag, hätte, um mit meiner Großmutter zu reden, für siebenundsiebzig Klabautermänner gereicht. Johann mußte seine Abseite im Felsen unten geplündert haben. Es gab Äpfel und Apfelsinen, Schiffszwieback, Dörrpflaumen, Konservendosen mit allen möglichen Gerichten, Eier, Kekse, Schokolade und Würste. Ich hörte, als ich in die Küche einstieg, Tante Julie gerade fragen: »Wer soll denn dieses enorme Frühstück verzehren, Johann?«

»Ihr drei«, antwortete Johann.

»Unmöglich!« rief die Tante und warf dabei sogar die Arme in die Luft.

»Wieso unmöglich?« fragte Johann. »Ihr seid über zehn Stunden unterwegs, Tante Julie.«

»Ach so«, sagte Tante, die jetzt ihren Irrtum erkannte, »ach so, das ist der Reiseproviant.«

Dappi, der schon mit sichtbarem Appetit frühstückte, sagte mit vollen Backen: »Natürlich ist das unser Proviant, Tante Julie. Wenn wir das alles zum Frühstück essen würden, müßte man uns vor der Abfahrt erst durch die Mangel drehen. Aber frühstückt trotzdem reichlich, Leute. Es ist kühl auf dem Wasser heute früh. Da ist es gut, man hat ein bißchen eigenen Dampf im Leib.«

Mir war bei diesem Frühstück wieder wehmütig zumute. Ich machte ja die erste Reise meines Lebens. Und an diesem Tage ging sie zu Ende. Aber zum Glück gab es bei der Abfahrt so viel zu tun, daß ich gar keine Zeit hatte, wehmütig zu sein. Unseren Reiseproviant, den Johann sehr früh in die Küche hinaufgetragen hatte, ließ er nun, gekocht, gewaschen oder auch gebraten, mittels des Flaschenzugs und eines Korbes wieder hinunter auf die Klippen, und von hier aus mußten wir ihn ins Motorboot bringen. Dann verstauten wir Dappis Werkzeuge, Tante Julies zwei Taschen und meine braune Tasche aus Leder, und schon war »Tetjus Timm« für eine lange Fahrt gerüstet.

Ich trug wieder meine dicke Joppe; denn es war empfindlich kühl auf dem Wasser. Dappi und Tante Julie trugen beide Öljacken über dicken Pullovern. Tante Julie trug sogar Hosen, was damals für Frauen als nicht schicklich galt.

Der Abschied von Johann war kurz. »Viel Glück und gute Fahrt, und schaut mal wieder um die Ecke«, rief er

uns nach, als wir aus der Umarmung der Mole ins offene
Meer hinaustuckerten. »Und wer von euch zuerst wieder
zum Leuchtturm kommt, muß mir erzählen, was aus
Hans Hochhinaus geworden ist. Erzähl's den beiden
Männern, Tante Julie.«

»In Ordnung, Johann«, rief Tante Julie zurück. »Und
weiter Glück auf deinem Turm!«

Da Dappi jetzt den Motor voll aufgedreht hatte, waren
die letzten Abschiedsgrüße von Johann nicht mehr ver-
ständlich. Wir winkten ihm daher nur noch zu, während
wir uns langsam von dem hohen weißen Turm auf den
bräunlichen Klippen entfernten. Als wir nach einer kleinen Weile einen großen Bogen machten, sahen wir
Johann auf der anderen Seite des Leuchtturms erscheinen, dort, wo M. M. eingesperrt war. Er war aber schon so
klein, daß wir nicht mehr erkennen konnten, ob er noch
winkte oder nicht. Auch der Turm wurde bald kleiner
und immer kleiner und schließlich so winzig, daß es zum
Erstaunen war.

»So kann man leicht aus Riesen Zwerge machen«, sagte Tante Julie. »Man muß sich nur von ihnen wegbegeben. Der große Leuchtturm auf den Hummerklippen: Was ist er jetzt? Ein Nadelkopf.«

»Aber backbord voraus muß jetzt das Zwergeiland Möwensand ins Blickfeld kommen«, sagte Dappi. »Und das muß – im Gegensatz zum Leuchtturm – langsam größer werden. Es ist ja unser Zeichen für den Kurs.«

Zwar dauerte es noch eine ganze Weile, bis Möwensand in Sicht kam; aber vier Silbermöwen kamen aus der Richtung, in der das Eiland lag, auf uns zugeflogen, umkreisten unser Motorboot und ließen sich, da wir drei Reisenden nebeneinander im Heck des Bootes saßen, vorn auf dem Bootsrand nieder. Von dort aus sahen sie uns krummschnäbelig an.

»Es sind wahrscheinlich dieselben Möwen, die uns bei der Herfahrt besucht haben«, sagte Dappi. »Die eine links hat eine Kerbe im Schnabel. Die erkenne ich wieder.«

»Die haben uns nämlich bei einer Geschichte zugehört, Tante Julie«, erklärte ich. »Bei der Herfahrt.«

»Und welche Geschichte habt ihr ihnen erzählt?« fragte Tante Julie.

»Boy hat eine Bilderbuchgeschichte vorgelesen«, sagte Dappi. »Von einem Jungen, der sich gewünscht hat, ein König zu sein.«

»Und was wurde aus dem Jungen?«

»Als er aus seinen Wunschträumen gerissen wurde und dummes Zeug geredet hat, da mußte er eine Strafarbeit schreiben, Tante Julie.«

»Nur eine Strafarbeit, Dappi?« fragte Tante Julie. »Dann ist er ja gut davongekommen. Ich kenne eine Geschichte, bei der drei Leute durch unbedachte Wünsche viel Schlimmeres erlebten.«

»Erzählen, erzählen!« riefen Dappi und ich. Und Dappi fügte hinzu: »Dann haben unsere vier Möwen auch wieder etwas davon.«

Tante Julie war gern bereit, uns die Geschichte zu erzählen; aber die Sonne wärmte nun schon und sprenkelte das Meer mit flirrenden Lichtern. So zog sie sich erst ihren dicken Pullover aus und trug nun über der Bluse nur noch die Öljacke. Auch ich zog mich wieder um und tauschte meine dicke Joppe gegen den Kinderölmantel, den Dappi mitgenommen hatte. Dappi selbst, unser Steuermann, behielt Pullover und Öljacke an, wie es Seemannsbrauch ist. Dann erzählte Tante Julie uns, während unser weißes Boot durch das flimmernde Meer tuckerte und erste Wolken vom Horizont in den Himmel hinaufschwammen, die Geschichte:

## Der Wunschbaum

Auf einem hohen, sehr breit hingelehnten Felsen oberhalb des Meeres steht ein Baum, der einen wüsten Haufen von bemoosten Steinen überschattet. Jedenfalls glauben alle Wanderer, die dort vorübergehen, es handle sich um Steine. Noch niemand hat bisher versucht, das Moos von diesen angeblichen Steinen abzukratzen und nachzusehen, was darunter ist. Wenn aber einer dies versuchen würde: Er würde staunen, was zum Vorschein kommt. Der Baum nämlich war einmal jener weitberühmte Wunschbaum, der heute noch durch viele unserer Märchen geistert und den so mancher Mensch ein Leben lang gesucht hat.

Heute hat dieser Baum die Kraft, Wünsche der Menschen zu erfüllen, längst verloren; aber in alter Zeit stand er noch voll in Kraft. Wenn einer sich zu jener Zeit in seinen Schatten legte und einen Wunsch tat und dann

eine Weile schlief, dann war der Wunsch, wenn er
erwachte, schon erfüllt. Jeder, der wußte, wo der
Wunschbaum stand, konnte sich, wenn er zu ihm hin-
ging, einen Wunsch erfüllen lassen; und gar nicht wenige
Menschen haben das in alter Zeit getan.

Nun kamen eines Tags vor vielleicht hundert Jahren
drei schiffbrüchige Seeleute zu diesem Baum. Ihr Schiff
lag unterhalb des Felsens zerschmettert auf den Küsten-
klippen. So suchten sie nun durstig, hungrig und erschöpft nach irgendeinem Menschen, der ihnen Brot und
Wasser gäbe.

Als sie die steile Felswand mühsam hinaufgestiegen
waren, die Mittagsonne beinah senkrecht auf dem Schei-
tel, legten die drei sich erst einmal unter dem Schatten
des Baums auf die Erde, um von der Anstrengung sich
auszuruhen. Dabei sagte Cornelius, der jüngste der drei:
»Ich habe solch einen Durst, daß ich einen ganzen
Brunnen austrinken könnte. Ich wünschte, eine Quelle

spränge neben mir aus dem Boden.« Er wollte noch etwas hinzufügen; aber er sagte nur: »Wenn ich...« Dann schlief er vor Erschöpfung einfach ein.

»Vielleicht wird ihm im Schlaf der Durst gelöscht«, sagte der Seemann neben ihm, der Jan hieß.

»Oder die Wunschquelle springt plötzlich wirklich aus dem Boden«, sagte der dritte Seemann namens Hein. Dann fiel auch er nach all der Anstrengung in Schlaf. Nur Jan blieb wach und blickte durstgequält aufs Meer hinaus.

Als Jan so eine halbe Stunde dagesessen hatte, glaubte er plötzlich, seinen Ohren nicht zu trauen; denn er vermeinte, Wasser plätschern zu hören. Als er verwundert seinen Kopf zur Seite drehte, sah er tatsächlich Wasser. Es sprang, drei Schritt von ihm entfernt, als

heller Strahl ganz einfach aus dem Boden, fiel nieder auf Grasnelken und Salbei und rann als Bächlein dann landeinwärts weiter. Über den Wasserstrahl gebeugt aber sah Jan Cornelius stehen, der erwacht war und nun das klare Wasser gierig schlürfte.

Da sprang auch Jan auf seine Füße, um von dem Wasser zu trinken; aber noch während des Trinkens fragte er: »Wie kann das sein, daß dieses Wasser plötzlich hier ist? Werden die Wünsche hier etwa im Schlaf erfüllt?«

Cornelius, der wieder aufgerichtet dastand, weil er sich an der Quelle satt getrunken hatte, antwortete: »Wenn mich nicht alles täuscht, ist dies der vielgerühmte Wunschbaum. Ein jeder hat in seinem Schatten einen Wunsch frei, hat man mir erzählt.«

»Dann wünsche ich mir tausend Pfund gebratener Würste«, sagte lachend Jan, der sich nun gleichfalls an der Quelle satt getrunken hatte. »Aber natürlich wird es keine Würste regnen«, fügte er hinzu. »Dein Wunsch war ja von der Natur erfüllbar; denn Wasser hat die Welt fast überall. Aber gebratene Würste liefert die Natur uns leider nicht. So, Freund, und nun leg ich mich auch ein bißchen schlafen.«

Jan legte sich auf dem Rücken ins Gras und war nach wenigen Sekunden eingeschlafen. Er schlief zwei volle Stunden lang. Er hörte nicht den Hein erwachen und lauthals über das springende Wasser staunen. Er merkte nicht, daß das Plätschern des Wassers verstummte, als Hein vom Wasser trank. Er schlief so fest und unbeweglich wie ein Stein, bis in der Nähe schrill ein Vogel schrie und ihn erweckte. Da streckte er die ausgeruhten Glieder, gähnte herzhaft, machte die Augen auf und ...

... und schloß die Augen ängstlich wieder. Gleichzeitig legte er erschrocken seine Arme über das Gesicht und zog die Knie an und krümmte sich zusammen.

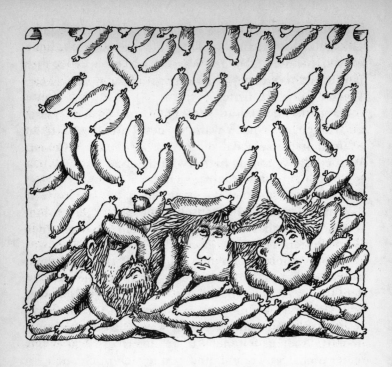

Denn just in jenem Augenblick, in dem der Jan die
Augen aufgeschlagen hatte, hatte der Baum Würste zu
regnen angefangen, gebratene Würste, schön goldgelb
und saftig. Und immer weiter regnete es Würste, bis die
drei Seeleute in einem Berg von Würsten standen, aus
denen nur drei Köpfe noch herausragten (denn trotz des
Würsteregens hatte auch der Jan sich aufgerichtet).

Cornelius war der erste, der die Sprache wiederfand. Er
sagte: »Dein Wunsch, Jan, ist erfüllt. Da haben wir die
Würste. Guten Appetit.«

Da alle drei gewaltigen Hunger hatten, fiel ihnen das
Würsteverzehren am Anfang nicht schwer. Sie langten
fleißig zu und aßen mit gesundem Appetit. Dabei sagte

Cornelius vollen Mundes: »Nun ist es sicher, Freunde, daß wir unter dem Wunschbaum stehen. Gewöhnliche Bäume liefern ja keine Würste. Zwei von uns haben ihre Wünsche schon vertan. Ich habe mir eine Quelle gewünscht und habe die Quelle bekommen. Jan wollte Würste haben, und nun waten wir in Würsten. Jetzt aber sollten wir uns genau überlegen, was Hein sich wünschen soll, damit wir alle etwas von dem Wunsche haben.«

Bratwürste kauend, aber immer langsamer und angestrengter, unterhielten die drei sich über den klügsten Wunsch. Das ewige Leben, so stellten sie fest, wünschte sich keiner von ihnen. Gesundheit bis ans Lebensende wünschten sie sich wohl; aber was nützt die Gesundheit allein, wenn es an allem fehlt, um froh und zufrieden zu leben? So kamen die drei am Ende darauf, sich etwas zu wünschten, mit dem man sich selbst seine Wünsche erfüllen kann, und das, so meinten sie, wäre das Geld. Weil aber Geldscheine oder Geldmünzen oft ihren Wert verlieren, beschlossen sie, sich einfach Gold zu wünschen. »Gold«, meinte Jan, »hat immer den gleichen Wert.«

Als die drei Seeleute sich über diesen letzten Wunsch geeinigt hatten, standen sie immer noch bis zur Brust in Bratwürsten; aber keiner von ihnen konnte auch nur einen einzigen Bissen mehr essen; denn ihre Bäuche waren proppevoll. So beschlossen sie, sich aus den Bratwürsten hinauszuwühlen und dann die Würste zur Seite zu räumen, um für das erwünschte Gold genügend Platz zu haben. Sie stemmten sich also in den glitschigen Würsten hoch, krochen über den Wurstberg bis zu seinem Rand und sprangen dann zu Boden. Danach begannen sie, die Würste wegzuräumen, und fluchten dabei immer wieder über Jans verrückten Wunsch. Jan fluchte fleißig mit.

Vier Stunden lang waren die drei mit dem Würstewegräumen beschäftigt. Dann war der Platz unter dem Baume wieder frei. Aber rund um den Platz gab es nun eine Mauer aus Würsten.

»Jetzt bin ich zum Umfallen müde«, sagte Hein. Er wollte sich gerade zum Schlafen niederlegen, als die zwei anderen zu ihm sagten: »Sprich erst deinen Wunsch aus. Dann kannst du schlafen, solange es dir gefällt.«

Da überlegte Hein kurz, was er sagen solle, und sagte dann: »Ich wünsche mir, daß dieser Baum Goldbarren regnet, so viele, wie er vorher Würste geregnet hat.« Dann legte er sich auf den Boden nieder und war im Handumdrehen eingeschlafen. Auch Jan und Cornelius, müde vom Würstewegräumen, legten sich nieder und redeten darüber, was sie sich mit dem vielen Golde kaufen würden, bis nach und nach auch sie wieder in Schlaf fielen.

Hein, der als erster eingeschlafen war, erwachte auch als erster wieder. Er streckte seine ausgeruhten Glieder, gähnte herzhaft, machte die Augen auf und...

Könnt ihr euch vorstellen, wie das ist, wenn es Goldbarren regnet, ein jeder Barren fünfundzwanzig Pfund? Eben das aber geschah nach Heins Erwachen unter dem Wunschbaum. Goldbarren, größer und viel schwerer als Ziegelsteine, regneten nieder aus dem Laub des Baumes. Ein Berg aus goldenen Barren wuchs um den Stamm des Baums herum hoch auf, noch höher als die Bratwurstmauer, und dieses Gold in schweren Barren begrub die Seeleute und alle ihre Wünsche unter sich.

Seither sind hundert Jahre über Land und Meer gegangen. Die Bratwurstmauer gibt es jetzt nicht mehr. Eidechsen, Ameisen und Wind und Wetter haben sie vertilgt. Aber die Quelle, die Cornelius sich einst gewünscht hat, plätschert heute noch; und auch die Goldbarren sind

immer noch da; nur sind sie, weil es durch die Quelle um
den Baum herum schön feucht ist, mit Moos bewachsen.
Ein Wanderer, der dort vorübergeht, hält sie für Steine. Er
kann nicht ahnen, daß es grünbemoostes Gold ist und
daß das Gold der Grabstein ist für drei, die sich mit
diesem Gold einmal ein schönes Leben machen wollten.

Die Tante schwieg, das Wasser gluckerte an den Bord-
wänden unseres Bootes, und die vier Möwen, die am Bug
des Bootes gesessen hatten, erhoben sich plötzlich in die
Luft und flogen auf ein kleines Eiland zu, das backbord
voraus, also auf unserer linken Seite, zu sehen war.

»Das müssen tatsächlich die Geschichtenmöwen
sein«, sagte Dappi lachend. »Wenn eine Geschichte zu

Ende ist, verlassen sie uns jedesmal und fliegen zurück nach Möwensand.«

Mich aber interessierte die Geschichte viel mehr als die Möwen. Ich sagte daher: »Immer, wenn ich Geschichten vom Gold höre, gibt es zum Schluß eine Katastrophe. Die Kater, die ein vergoldetes Frühstück haben wollten, die sind beinahe verhungert. Der vergoldete Mann aus Amerika, der Eldorado genannt wurde, hat viele Abenteurer ins Unglück gebracht. Und die drei Seeleute wurden nun sogar vom Gold begraben. Was ist denn an dem Gold so schlimm? Für sich genommen, liegt es doch nur herum und glitzert ein bißchen, wie Dappi sagt.«

»Es ist eben nur auf Umwegen nahrhaft und nützlich«, sagte Tante Julie. »Gold kann man nicht essen, nicht trinken und nicht einatmen, und ob es als Heilmittel irgend etwas hilft, weiß ich nicht. Man kann damit nur protzen, weil es so selten ist, und kann nützliche und nahrhafte Dinge dafür eintauschen.«

»Ein alter Seemann hat mir mal erzählt«, sagte Dappi, »daß ein italienisches Schiff drei junge Männer von den Kanarischen Inseln eingefangen hat. Das ist nun schon ein paar hundert Jahre her, und auf den Kanarischen Inseln lebte man damals noch in der Steinzeit. Diesen drei jungen Männern nun haben die Italiener Feigen und Gold geschenkt. Und wißt ihr, was die drei mit dem Gold gemacht haben?«

»Was denn, Dappi?« fragte ich.

»Als sie merkten, daß das Gold nicht eßbar ist wie Feigen, haben sie es ins Meer geworfen. Sie kannten nämlich auf ihren Inseln kein Metall. Die Feigen aber haben sie gegessen.«

»Vielleicht hießen die Kanarischen Inseln deshalb die Glücklichen Inseln, weil man dort nicht am Golde hing«, meinte Tante Julie.

»Ich glaube, es gibt viele Glückliche Inseln unter der Sonne«, sagte Dappi. »Auch heute noch. Nehmt Möwensand!« Dappi zeigte auf das kleine Eiland mit der Sanddüne, das jetzt backbord an uns vorübertrieb. »Da wächst ein bißchen Strandgras, und da leben ein paar Möwen. Und wenn die ihre Eier legen, dann nimmt kein Tier oder kein Mensch sie ihnen weg. So kommen und gehen die Möwengeschlechter und finden genug Fische in der See, und immer weht das Strandgras. Und wenn dort Gold in Kisten liegen sollte, hat es für dieses Eiland keinen Sinn.«

Es blies plötzlich ein etwas schärferer Wind über das Wasser, und seltsame Wolkengebilde ballten sich vor uns zusammen. Da sagte Tante Julie: »Schau, Boy, das da vor uns, das war in alten Zeiten Gold, die Wolken, die das Wasser tragen und die die dürre Erde wieder fruchtbar machen. Übrigens ...« Die Tante stutzte. »Sieht aus, als ob man diese Wolken lesen könnte. Guck mal: Sie bilden zwei M.«

Wir folgten Tante Julies Zeigefinger mit dem Blick, und tatsächlich konnten wir am unteren Rande des Wolkengewusels eine Form erkennen, die zwei gerundeten M glich.

»Vielleicht hat Johann M. M. wieder freigelassen«, sagte Dappi, und Tante Julie fügte hinzu: »Unmöglich ist das nicht.«

»Kann ein Privattaucher denn Wolkenbilder machen?« fragte ich erstaunt.

»Diesem M. M.«, antwortete Dappi, »traue ich alles mögliche zu. Es war schon sehr vernünftig, daß Johann ihn eingesperrt hat.«

Inzwischen hatten die beiden gerundeten M sich in eine Art Figur verwandelt, in einen liegenden dicken Mann oder eine Wurst mit Armen und Beinen. Auch

wurde das Gewölk dunkler, ballte sich enger zusammen, zog nun fast schwarz am Himmel auf und schickte noch schärferen Wind vor sich her.

Da sagte Dappi: »Zieht die Südwester über, knöpft euch zu und schlagt die Kragen hoch. Das wird ein Sommergewitter.«

Dappi hatte recht. Als wir uns zugeknöpft und unsere Köpfe in Südwestern stecken hatten, in diesen Ölhüten mit breiter Krempe, kam mit dem Wind zuerst ein Tropfensprühen und dann ein dicker, dicker Regen, der ringsum alles grau verhüllte und niederrauschte auf das Meer. Nun spannte Dappi mit Tante Julies Hilfe eine Ölhaut über das Boot aus, damit es nicht zuviel Wasser aufnähme, und ich mußte mit eng zugekniffenen Augen und tief in die Stirn gezogener Krempe das Steuer halten, das mit großer Kraft immer nach links ausschlagen wollte.

Als die zwei Erwachsenen tropfend und mit sehr geröteten Gesichtern die Haut endlich ausgespannt hatten, übernahm Dappi das Steuer. Er sagte dabei: »Jetzt muß ich einfach der Nase nach steuern, bis das Gewitter vorbei ist. Erkennen kann ich nichts.«

Da zuckte ein Blitz, als wolle er unser Blickfeld erhellen, auf unserer rechten Seite in das Wasser, und ohrenbetäubender Donner folgte dem Blitz. Tante Julie, die als Kind auf dem Festland gelebt hatte, wo manchmal Blitze einschlagen, zuckte zusammen. Ich Inselkind hatte keine Angst; denn auf unserer Insel hatte seit Menschengedenken kein Blitz eingeschlagen. Nur eine Schauspielerin war einmal getroffen worden und verkohlt. Aber die war mutwillig bei Gewitter ins Meer hineingegangen, und obendrein mit einem Regenschirm.

Noch zweimal schlugen, weiter von uns entfernt, Blitze ins Wasser ein; dann ließ der Regen langsam nach, die Wolken hellten sich auf, die Sicht wurde freier, und erstaunlich rasch tuckerten wir wieder unter beinahe wolkenlosem Himmel über das Meer, mit freier Sicht nach allen Seiten. Nur von unserem Ölzeug tropfte das Wasser noch immer herunter.

Wir legten nun die Südwester wieder ab, zogen die Öljacken aus und schüttelten das Wasser ab. Dann trockneten wir uns Gesicht und Hals mit unseren Taschentüchern und zogen vergnügt die Öljacken wieder an.

»Das war ein Gruß von M. M.«, sagte Dappi, ohne sich näher zu erklären. Danach stellten wir alle drei fest, daß das Gewitter uns hungrig gemacht hatte.

Aber bevor wir das Boot wieder von seiner Ölhaut befreien und uns über den Proviant hermachen konnten, mußte Dappi sich über unseren Kurs vergewissern; und da kam heraus, daß wir den Ostfriesischen Inseln etwas zu nahe gekommen waren. Der Druck des Steuerruders nach links, dem ich als kleiner Steuermann wohl nicht recht standgehalten hatte, hatte unser Boot nach rechts, den Inseln und der Küste zu, gelenkt.

»Das da«, sagte Dappi und zeigte auf einen dicken Strich am Horizont, »ist die Insel Norderney. Ich muß jetzt eine Zeitlang nach backbord halten. Könnt ihr zwei allein die Ölhaut wieder abnehmen?«

Tante Julie und ich versicherten, daß wir das könnten, und mit einiger Mühe gelang es uns, die nassen Knoten Loch für Loch zu lösen und die Ölhaut wieder zu einem dicken Packet zusammenzufalten, das Dappi in dem kleinen Verschlag am Bug verstaute.

Nun konnten wir unseren Hunger stillen, und das taten wir ausführlich. Das Boot schlingerte dabei ein bißchen, weil das Meer nicht so ruhig war wie bei unserer Herfahrt; aber das raubte niemandem von uns den Appetit.

Nach dem Essen waren wir wieder auf dem richtigen Kurs und sahen die Ostfriesischen Inseln als eine Strichreihe am Horizont. Da waren wir so heiter und zufrieden, daß Dappi sagte: »Jetzt, wo ich mich durch euch an Geschichten und Gedichte gewöhnt habe, fehlt mir nur noch ein Gedicht, um ganz zufrieden zu sein.«

»Gedichte kenne ich viele«, sagte hierauf Tante Julie. »Aber da wir dauernd über Wünsche gesprochen haben, sollte es vielleicht ein Wunschgedicht sein. Dann bleiben wir sozusagen beim Thema.«

»Ein Wunschlied hab ich selber noch im Kopf«, rief Dappi erfreut. »Es ist aus Amerika, aber ich kann es deutsch vorsingen. Wie wär's damit?«

»Nur immer zu«, sagte Tante Julie, und ich sagte, ich

möchte das Lied ebenfalls hören. Also sang Dappi uns vor, was laut über das Meer hin schallte, nämlich das Lied:

## Ach, wär ich doch ein Apfel

Ach, wär ich doch ein Apfel,
Dann hing ich hoch am Ast
Und gaukelte und schaukelte,
So wie mir's grade paßt.
Und käm die kleine Sindy
Mit ihrem blonden Schopf,
Dann fiele ich der Sindy
Genau auf ihren Kopf.

Ach, wär ich eine Nadel,
Ich nähte her und hin
Und stäch herum, mal quer, mal krumm,
So ganz nach meinem Sinn.
Und käm die kleine Sindy,
Dann hielt ich mich bereit
Und stickte meiner Sindy
Zwölf Rosen auf das Kleid.

Ach, wär ich eine Fiedel,
Ich spielte wunderschön
Mit fideldum und dideldum,
Und jeder müßt sich drehn.
Und käm die kleine Sindy:
Ich spielte nur für sie,
Und fröhlich drehte Sindy sich
Nach meiner Melodie.

Tante Julie und ich klatschten nach dem Lied in die Hände, weil Dappi für einen Laiensänger sehr gut gesungen hatte.

»Was verliebte Jungen sich doch alles wünschen, um ihrem Mädchen zu gefallen«, sagte Tante Julie. Dann bekam sie eine steile Falte auf der Stirn und sagte: »Da fällt mir ein Gedicht ein, das auch von Wünschen handelt und auch von einem Kind, aber von einem Kind, dem viel zu viele Wünsche erfüllt worden sind.«

Wir Männer baten Tante Julie, uns dieses Gedicht aufzusagen, und das tat sie denn auch. Sie setzte sich sogar erhöht auf den Bootsrand, die Füße auf der Bank, und trug uns so das Gedicht vor:

### Des Zauberers Kind

Wo sich müde Mühlen drehen,
In den Tälern ohne Wind,
Wo verfallne Mauern stehen,
Lebte eines Zauberers Kind.

Doch es war des Zauberns müde,
Seiner Wunder, seiner Macht.
Morgens klagt' es schon im Liede:
»Wär es Abend, wär es Nacht.«

Und zu Mittag sang's die Weise:
»Ach, zu leben, welche Not.«
Und am Abend sprach es leise:
»Ach, am liebsten wär ich tot.«

Selbst die Wolken, die da zogen,
Und die Sterne in der Nacht,

Und die Vögel, die da flogen,
Und das Feuer, frisch entfacht

In der alten grauen Schmiede,
Und die Bäume ohne Wind
Waren so unsäglich müde,
Wie es welke Greise sind.

Hier, wo alle Seide trugen,
Als die Fiedel sang und klang,
Wo die Nachtigallen schlugen
Ganze Sommernächte lang,

Wo die Mädchen Kränze wanden
Und das Volk in Kutschen fuhr
Und in Flor die Wiesen standen,
Herrschte graue Trübsal nur.

Was der Zauber hergerufen,
Vogelhaus und Spielzeugschloß,
Schön gefügte Marmorstufen,
Zelte, Wimpel, Mann und Roß,

Gärten, Seen, Schwanenteiche,
Prunkgaleeren, reich drapiert,
Lorbeerwälder, vogelreiche,
Alles war schon ausprobiert.

Alle Wünsche, alle Grillen,
Alle Gier, wer weiß, wonach,
Konnte sich das Kind erfüllen,
Wenn es seinen Zauber sprach.

Nichts mehr gab's, was es nicht könnte.
Und so starb das arme Kind,
Weil es sich nach Wünschen sehnte,
Welche nicht erfüllbar sind.

Dappi sagte nach dem Gedicht: »Das muß ja schreck-
lich sein, wenn einer sich alle Wünsche erfüllen kann.
Wie gut, daß das in Wirklichkeit nicht vorkommt.«

»Immerhin«, sagte Tante Julie, »manche Könige, Kai-
ser und reiche Leute haben sich die verrücktesten Wünsche erfüllen lassen. Sie wünschten sich Bäume mit
goldenenen Blättern, Häuser über Wasserfällen oder ihr
eigenes Denkmal, dreizehn Stockwerke hoch.«

»Also nützen Geld und Gold dazu, Leute zu bezahlen
und sich dadurch Wünsche zu erfüllen«, sagte ich.

»Falls die Leute es denen, die Geld haben, nicht ein-
flüstern«, meinte Tante Julie. »Der Baum mit den goldenen Blättern soll der Einfall eines königlichen Gold-
schmieds gewesen sein, der den König erst dazu überredet

hat, sein Gold dafür herzugeben. An reiche Leute drängen sich immer Leute mit Rosinen im Kopf, die...«

Tante Julie wurde durch ein tiefes Tuten hinter uns unterbrochen. Wir fuhren erschrocken herum und sahen nun erst, daß der Dampfer »Roland« mit seinen beiden dicken Schornsteinen dabei war, uns an Backbord zu überholen. Sein Stampfen, das wir jetzt deutlich hörten, war wohl durch unser Gespräch und unser Motorengeräusch übertönt worden.

Nun griff Dappi zum Megaphon und rief, als das hohe Schiff uns langsam mit winkenden Passagieren überholte: »Sagt auf der Insel, daß wir unterwegs sind! Ahoi!«

»Ahoi, Dappi«, tönte es zurück. »Wird bestellt. Alles klar. Gute Fahrt!«

Dann rauschte das Heck der »Roland« an uns vorüber, und gleich darauf tanzte unser Boot in seinem quirligen Schraubenwasser, so daß wir uns am Bootsrand festhalten mußten. Es dauerte wohl volle fünf Minuten, bis wir wieder ruhig im Wasser lagen. Die »Roland« hatte sich inzwischen ein gutes Stück von uns entfernt; aber da wir ihr nachfuhren, verschwand sie diesmal nicht so rasch aus unserem Blick wie bei der Herfahrt. Als aber rechter Hand die Ostfriesischen Inseln außer Sicht kamen, kam langsam auch die »Roland« aus unserer Sicht. Bald war sie nur noch ein Punkt am Horizont; dann war sie ganz verschwunden.

Nun tuckerten wir über das offene Meer, die Sonne schräg im Rücken, kein Schiff im Blick und nicht mal eine Möwe, und ich sagte: »Jetzt, Tante Julie, wäre doch Zeit, uns zu erzählen, wie es mit Hans Hochhinaus ausgegangen ist. Einer von uns erzählt's dann auch Johann, wenn er ihn wieder trifft.«

»Ich erzähl's euch gern«, sagte Tante Julie, »aber ich weiß nicht, ob das der richtige Schluß der Geschichten ist. Bei solchen Abenteuergeschichten ist das Ende ja meist, daß der Abenteurer nach Haus zurückkehrt. Hans Hochhinaus bleibt aber in der Fremde und wird dort ein geachteter Mann.«

»Ungewöhnliche Schlüsse finde ich interessanter als gewöhnliche«, meinte hierauf Dappi. »Erzähl schon, Tante Julie.«

Da erzählte die Tante uns, gemütlich in die Rundung des Bootes gelehnt:

## Hans Hochhinaus
*Drittes Abenteuer: Wie der Hans ein Heiliger wurde*

Als Hans zu Mittag auf dem Schiff erwachte, blieb er noch eine Weile auf der Ankerkette sitzen, blickte hinaus aufs Meer, das in der Sonne glitzerte, und dachte: »Zum König, der vor aller Augen immerzu herumstolzieren muß, als wäre er sein eigenes Denkmal, tauge ich nicht. Zum Reichen, der mit Menschen spielt wie unsereins als Kind mit Knöpfen, tauge ich auch nicht. Wozu mag ich wohl taugen, da ich doch ganz gewiß zu etwas Höherem geboren bin?«

Hans grübelte vier Tage über die Frage nach, während das Schiff Richtung Nordwest ruhig und stetig das Arabische Meer durchpflügte. Am fünften Tage stand er wieder einmal grübelnd an der Reling, als Brandgeruch ihm in die Nase stieg. Hans murmelte: »Es riecht nach angebrannten Pfannekuchen. Da wird es für den Koch ein Donnerwetter geben. Armer Kerl.«

Doch für den Koch gab es an diesem Tag kein Donnerwetter. Es donnerte vielmehr im Laderaum des Schiffes, wo irgend etwas sich entzündet hatte und viele Fässer feines Öl in Flammen standen. Erst knisterte es nur, und schwarzer Rauch drang aus den Löchern und Ritzen hervor. Dann aber prasselte es laut und krachte, als ob unter den Schritten eines Riesen Bambuswälder knickten, und dicker Rauch mit einem gelben Rand wölkte sich mittschiffs in den blauen Himmel. Die Mannschaft rannte kopflos hin und her, mit Sand und Wasser oder nassen Tüchern. Zu retten aber war schon lang nichts mehr. Das sah der Hans früher als jeder andere. Die Flammen griffen gierig um sich und leckten nun auch schon am Rettungsboot. Auch wurde die Luft allmählich zu stickig zum Atmen.

Da brüllte Hans, so laut er konnte: »Rette sich, wer kann!« Er selber zog sich seine Kleider aus und sprang, den Kopf voran, ins Meer. Dann schwamm er zu auf eine ferne blaue Hügelkette. Zuweilen wandte er dabei den Kopf zurück. Dann sah er, wo das Schiff gewesen war, jetzt nur noch Flammen und dicken Rauch, der immer höher stieg, und vor den Flammen, im rötlich beleuchte-

ten Meer, hingen Menschen an hölzernen Trümmern und ruderten mit ihren Füßen.

Hans schwamm vier Stunden lang der Hügelkette entgegen. Es ging nun auf den Abend zu, und hinter ihm war von dem brennenden Schiff nur noch ein fernes rotes Glimmen zu erkennen, während er auf den Hügeln vor sich schon Bäume, Häuser und Terrassen sehen konnte. Er sah auch Ruderboote vor der Küste; doch konnte er sich ihnen nicht bemerkbar machen. Nur eine kleine Dau mit dreieckigem Segel, wie man sie allerorten vor Arabiens Küsten sieht, fuhr von der Küste auf das Meer hinaus.

Hans schwamm sogleich in Richtung dieser Dau; doch schien sie weit entfernt von ihm hinauszufahren. Schon wollte Hans wieder geradeaus der Küste entgegenschwimmen, als er bemerkte, daß die Dau den Kurs geändert hatte. Sie fuhr jetzt fast geradewegs auf ihn zu. Also schwamm Hans gleichfalls der Dau entgegen; und keine halbe Stunde später bemerkte man ihn auch an Bord, da er um Hilfe rief und mit der Rechten winkte.

Da drehte man so bei, daß sich die Fahrt der Dau verlangsamte, und warf Hans an einem Seil einen Rettungsring zu.

Hans hängte sich, erschöpft vom Schwimmen, in den Ring hinein und wurde vorsichtig und mit Erfolg an Bord gezogen, wo man ihm heißen Tee zu trinken gab und wo man ihn in einen gelben Haik, das lange wollene Gewand der Wüste, hüllte.

Als Hans sich bei den Leuten auf der Dau bedanken wollte, stellte er fest, daß die Verständigung sehr schwierig war; denn englisch, wie in Mangalore, sprachen diese Araber mit den scharfen Nasen nicht. Doch gab es einen auf der Dau, der war ein Fremder, auch wenn er den Haik und auf dem Kopfe einen Turban trug. Der fragte Hans in dessen Muttersprache, wer er wäre; und da erkannte Hans, daß dieser Mann aus seiner Heimatgegend war. Also erzählte er ihm, wer er war, und auch vom Brand des Schiffes und davon, daß noch viele Menschen, an hölzerne Trümmer geklammert, auf dem Wasser trieben.

Als die Leute von der Dau von anderen Schiffbrüchigen hörten, fuhren sie weiter auf das Meer hinaus, um sie zu retten. Doch eine andere Dau, viel größer und viel stattlicher als diese, kam ihnen aus der offenen See entgegen, und da erfuhren sie durch Ruf und Gegenruf, daß diese größere Dau alle an Bord hatte, die von den Schiffsinsassen überlebt hatten. So fuhr die kleine Dau allein mit Hans an Land.

Bei dieser Fahrt erfuhr Hans dann, daß jene blaue Hügelkette, der er entgegengeschwommen war, zu einer Insel gehörte, auf der die Leute vom Fischefangen lebten. Da sagte er sich froh: »Dort kann ich also Netze knüpfen. Und was daraus am Ende wird, wird sich schon zeigen.«

Tatsächlich zeigte sich auf dieser Insel bald, daß jene Art von Netzen, die Hans zu knüpfen verstand, reißenden Absatz bei den Fischern fand, weil sie haltbarer und zugleich elastischer war als die einheimische Art von Netzen. Hans, der zuerst bei seinem Landsmann wohnte, konnte bald in ein eigenes kleines Steinhaus ziehen, das man ihm als Entgelt für Netze aufgerichtet hatte. Im eigenen Haus nun und wohlversorgt, wurde er wieder ganz der alte Hans, der hoch hinauswollte, höher als andere Leute. Und weil in dieser Weltgegend die heiligen Männer sehr viel gelten, beschloß Hans diesmal, ein Heiliger zu werden. Er sagte das denn auch in seinem geradebrechten Arabisch allen Leuten; aber die Fischer lachten nur darüber und sagten: »Lieber ein guter Netzeknüpfer als ein schlechter Heiliger.« Doch störte das den guten Hans nur wenig. Er dachte: »Wenn ich erst ein richtiger Heiliger bin, dann spuck ich allen Fischern auf die Köpfe.«

Nun kam einmal ein heiliger Mann zur Insel. Der predigte, daß Geben seliger sei als Nehmen, und lebte nur von milden Gaben. Dem schloß sich Hans bei seinem Gang über die Insel an, nachdem er ihm zuvor all sein erspartes Geld gegeben hatte.

»Das Wichtigste für einen Heiligen ist das würdige Gebaren«, lehrte dieser Mann den Hans. Und Hans bewegte Körper, Kopf und Hände von diesem Tag an nur noch sehr langsam und sehr würdig.

»Er sieht noch heiliger als unser alter Heiliger aus«, flüsterten schon bald die Leute. Und was der Hans bei diesem Heiligen als Sprache lernte, war allerfeinstes Koran-Arabisch.

»Das Zweitwichtigste für einen Heiligen«, erfuhr der Hans, »ist, daß er unverständlich reden können muß. Immer, wenn ich so recht fürs Volk gepredigt habe«, erklärte der Heilige, »wenn ich gepredigt habe mit einfachen Worten, die jeder versteht, sage ich feierlich zum Schluß: Giles tsi nebeg. Und wenn die Leute mir etwas gespendet haben, sage ich: Resseb tsi nebah.«

Da lernte auch der Hans die dunklen Worte und sagte sie, wenn jemand ihn um seinen Segen bat oder wenn jemand ihm ein Huhn, ein Zicklein oder eine Kette Dörrfisch schenkte.

»Das Drittwichtigste für einen Heiligen«, lehrte der Mann den Hans, »ist, daß er den Geist in seinem Körper nähre und immer gut bei Kräften sei. Er muß mit allen seinen Gaben wuchern, auch mit den milden Gaben von den Leuten.«

Was der Heilige damit meinte, erfuhr Hans an einem Tag mit Wind und Wolken, als sie im Boote eines reichen Mannes zu einer anderen, viel kleineren Insel fuhren. Bei dieser Fahrt erfuhr er nämlich, daß dieser reiche Mann, der den Heiligen fast ständig begleitet hatte, nur der Verwalter dieses Heiligen war, der dafür sorgen mußte, daß die milden Gaben von den Leuten sich vermehrten, nämlich durch Geldverleih und Handel oder auf Landgütern mit Früchten und mit Tieren. Der Heilige, von dem die Leute glaubten, daß er nur von den milden Gaben lebe, war in Wirklichkeit ein reicher Mann. Die Insel, zu der Hans jetzt mit ihm fuhr, gehörte ihm mit allem, was darauf war.

Und – alle Heiligen! – was war das für eine Insel: Bei ihrer Ankunft standen auf der Hafenmole schon livrierte Diener, die wohlriechende Wässer auf die Ankömmlinge sprühten. Vom Hafen ritten sie auf buntgeschmückten Kamelen durch Weinberge und durch Olivenwäldchen in das Innere der Insel, und in der Mitte der Insel, auf einem flachen Hügel, stand ein Schloß mit marmornen Terrassen und Dächern aus goldenen Ziegeln.

Im Zimmer, das dem Hans zum Aufenthalte zugewiesen wurde, standen Schalen mit Früchten und süßen Leckereien und ziselierte Krüge mit Getränken und eine Handwasch-Schale voller Rosenwasser.

»Ich sehe deinem Blick an, daß du staunst«, sagte der Heilige zum Hans, als sie ein Stündchen später an einer riesigen Tafel mit vielen Menschen zu Mittag aßen.

»Ich muß gestehen, daß ich wirklich staune«, sagte Hans. »So leben Könige und Reiche. Ich dachte, Heilige, die lebten anders.«

»Die Heiligkeit«, sagte der Heilige, während er eine gezuckerte Trüffel zum Munde führte, »die Heiligkeit ist ein Geschäft wie andere Geschäfte. Schau, ich verkaufe Seelentrost und Frieden, und dafür krieg ich ein paar milde Gaben, die niemandem weh tun, die mir aber nützen. Daran, mein junger Freund, ist nichts Verkehrtes. Wer Seelentrost verkauft, muß auf der Erde irgendeinen Rückhalt haben. Ich habe diese kleine Insel. Und wohlgenährt sein muß er auch, damit er ruhig und zufrieden wirkt, wie sich's für einen Heiligen gehört. Ich werde dich schon bald auf eine kleine Nachbarinsel schicken, da du schon den Geruch der Heiligkeit besitzt. Mal sehen, ob dabei was aus dir wird.«

Drei Tage später, als Hans vor lauter Wohlleben fast nicht mehr denken konnte, schickte der Heilige ihn auf die Nachbarinsel. Er gab ihm für die Binsenmatte, auf die die Leute ihre milden Gaben legen, drei funkelnde Goldstücke mit. »Als Anreiz für die Leute«, sagte er. »Damit sie ungefähr den Preis für ihren Seelenfrieden kennen.«

Hans fuhr also an einem Morgen zu der Insel, wo sich

die Nachricht schon verbreitet hatte, daß ein besonders heiliger Mann von jungen Jahren kommen werde, und wo schon von der Landebucht an Junge und Alte ihm folgten, als er würdigen Ganges über die Insel schritt.

Mit schönen Gesten teilte Hans bei diesem Gange seinen Segen aus, und wenn er predigte, was er im Sitzen und kreuzbeinig tat, lag seine Binsenmatte neben ihm, und darauf funkelten drei Goldstücke. Leider vermehrten sie sich aber nicht, weil diese Insel arm war. Zu Mittag hatte Hans erst ein gehäkeltes Deckchen, ein totgeborenes Lämmchen und ein Perlmuttdöschen als milde Gaben empfangen. Eines der Goldstücke aber hatte er einer alten Frau gegeben, weil deren Sohn beim Dattelpflücken von einer Palme heruntergefallen war und einen Arzt benötigte, um ihm die gebrochenen Beine zu schienen. Mit Hansens Goldstück konnte die Mutter den Arzt nun bezahlen.

Am späten Nachmittag war zu den milden Gaben ein Körbchen Datteln dazugekommen und ein Maisfladen in einem weißen Leinentuch und eine Kanne aus gehämmertem Zinn. Das zweite Goldstück aber hatte Hans einem Burschen gegeben, der zwanzig Stockhiebe bekommen sollte, wenn er nicht augenblicklich seine Schulden bezahlte. Durch Hansens Goldstück blieben ihm die Stockhiebe erspart.

Am Abend waren zu den milden Gaben ein paar Piaster dazugekommen, ein Hundefigürchen aus grüner Jade und ein mit rotem und grünem Leder bezogenes Körbchen. Das letzte Goldstück aber hatte Hans einem Mädchen gegeben, das wegen seiner Schönheit eingeladen worden war zum Feste eines weitbekannten Emirs auf dem Festland, dem es aber an Geld für eine Reise dorthin mangelte. Mit Hansens Goldstück konnte sie nun reisen.

Als Hans bei Anbruch der Nacht zurückkam in das

Schloß des Heiligen, war der schon über alles unterrichtet. Er lud, da es eine milde Sommernacht war, den Hans auf seine Dachterrasse ein, ließ ihn mit Wein und zartem Lamm bewirten und sagte: »Du taugst zum Heiligen so wenig, wie ich zum Netzeknüpfen tauge. Dafür, daß man auf jener kleinen Insel arm ist, ist der Ertrag der Reise gar nicht übel. Aber das Gold, das du verschenkt hast, war das Zehnfache wert, und nebenbei hast du es dumm verschenkt. Das Goldstück für den Arzt war gar nicht nötig, weil der Barbier dort schon seit ewiger Zeit die Knochen schient; und wenn kein Geld im Haus des Kranken ist, dann macht er es umsonst. Das Goldstück, das dem Burschen seine Stockhiebe ersparte, hast du einem verrufenen Trinker und Spieler gegeben. Spätestens nächste Woche bekommt er doch wieder den Stock. Das dritte Goldstück aber gabst du einem hochmütigen Mädchen, das nun die achte oder neunte Frau des Emirs wird, weil sie es darauf anlegt. Ein Heiliger, mein Bester, muß die Menschen kennen. Sonst soll er lieber Netze knüpfen. Und das, mein junger Freund, empfehl ich dir.«

So fuhr Hans schon am nächsten Tag zurück zu der Insel, auf der er noch sein Steinhaus stehen hatte, und fing wieder das Netzeknüpfen an. »Zum Heiligen«, so sagte er sich selber, »tauge ich nicht. Wenn ich das ränkereiche Spiel der Menschen immer durchschauen soll zu meinem eigenen Nutzen, damit ich immer satt und würdig segnen kann, dann will ich lieber Netzeknüpfer bleiben.«

Und Netzeknüpfer blieb Hans auch zur Freude aller Fischer auf den Inseln. Den Heiligen sah er nur noch sehr selten; aber den Mann aus seiner Heimatgegend sah er oft. Und eines Tages fragte er ihn, was wohl die unverständlichen Sätze des Heiligen zu bedeuten hätten, jenes

»giles tsi nebeg« und »resseb tsi nebah«. Da lachte der Mann und sagte: »Es sind zwei ganz gewöhnliche Sätze in unserer eigenen Sprache. Nur hat er sie, wie es arabisch Sitte ist, von rechts nach links geschrieben und auch so gelesen. Lies sie vom anderen Ende her, dann kannst du sie verstehen.«

Da schrieb Hans beide Sätze von rechts nach links in den Sand, und nun konnte er von links nach rechts in seiner eigenen Muttersprache lesen: »Geben ist selig, Haben ist besser.«

»Da siehst du, daß du es mit einem ganz gerissenen Heiligen zu tun gehabt hast«, sagte lachend der Mann aus Hansens Gegend. Und Hans sagte: »Jaja, das wußte ich schon lange.« Und er erzählte dem Manne von dem Schloß des Heiligen und von seinem eigenen Prediger-gange über die Insel der Armen. Das aber tat er in so hübschen Worten und mit so schönen Gesten, daß der Mann aus seiner Gegend nur noch Ohr und Auge war und am Ende ausrief: »Du bist ja ein geborener Geschichten-erzähler, Hans! Geh auf den Markt, wenn wieder Markt-tag ist, erzähl in dem feinen Arabisch, das du gelernt hast, Geschichten, und du wirst sehen, daß es um dich herum Piaster regnen wird.«

»Du meinst, ich tauge zum Geschichtenerzähler?« fragte Hans. Er wußte aber selbst die Antwort schon.

Am nächsten Markttag saß Hans früh am Morgen schon unter einem blauen Zeltdach bei den Früchte-händlern und erzählte Geschichten – Geschichten von Fischern und Königen, von armen und reichen Leuten und von einem, der hoch hinauswollte, aber am Ende doch ein Netzeknüpfer blieb. Die letzte Geschichte machte einen ganz besonderen Eindruck, und auf den Tisch, auf dem Hans saß, regnete es Piaster, wie es der Mann aus Hansens Gegend vorausgesagt hatte.

Bald schon war Hans berühmt auf allen Inseln. Er gab das Netzeknüpfen auf und lebte heiter und zufrieden als Geschichtenerzähler, nur, daß er nicht mehr Hans hieß, sondern Halef.

Und auf den Inseln vor Arabiens Küste wird er, der heute schon ein alter Mann ist, noch immer Halef, der Netzeknüpfer, genannt, obwohl er lange schon ein Geschichtenerzähler ist.

Als wir Tante Julie nach der Geschichte Beifall gespendet hatten, sagte Dappi: »Das war aber mal ein komischer Heiliger.«

»Heilige gibt es solche und solche«, meinte Tante Julie hierauf. »Das Sprichwort sagt: Unter dem Krummstab ist gut leben. Wer vom Geruch der Heiligkeit, den so ein Bischof mit dem Krummstab hat, ein bißchen abbekommt, der kann gut leben. Das ist die Wohlstands-Heiligkeit. Es gibt aber auch eine andere Heiligkeit, zum Beispiel die vom heiligen Franziskus. Der sagte, daß die Armut heilig ist. In seinen Tagen war die Kirche nämlich zu verfressen.«

»Und das bin ich im Augenblick auch«, sagte Dappi. »Ich habe schon wieder Hunger wie ein Eisbär.«

Tante Julie und ich lachten über Dappis Eisbärenhunger; aber wir gaben zu, daß auch wir hungrig waren. Doch bevor wir unsere zweite Mahlzeit einnahmen, wollte ich unbedingt noch etwas über die Geschichte sagen, und so fragte ich Tante Julie: »Wenn der Hans Hochhinaus ein Geschichtenerzähler geworden ist, warum ist er das nicht bei sich zu Hause geworden? So hätte die Geschichte auch den üblichen Schluß.«

»Aber in unserer Gegend gibt es keine Geschichtenerzähler mehr«, antwortete Tante Julie.

»Wieso? Wir erzählen uns doch dauernd Geschichten«, sagte ich. »Und mein Urgroßvater und ich, wir tun das auch.«

»Aber nicht aus Beruf, Boy«, sagte Tante Julie. »In Arabien ist man Geschichtenerzähler, wie andere Wasserverkäufer oder Teppichhändler sind. Man kann davon leben. Deshalb ist Hans Hochhinaus in Arabien geblieben, wo er sich als Geschichtenerzähler selbst ernähren kann, verstehst du?«

»Ja«, antwortete ich, »jetzt verstehe ich das. Aber weißt du, was ich eben merke, Tante Julie?«

»Was denn, Boy?«

»Als ich mit Dappi zum Leuchtturm gefahren bin, da war unsere erste Geschichte, die Dappi mir aus dem Seemannskalender vorgelesen hat, die Geschichte vom ersten Geschichtenerzähler. Und jetzt fahre ich zurück, und in der letzten Geschichte, die du eben erzählt hast, wird einer zum Schluß Geschichtenerzähler.«

»Wenn Anfang und Ende sich gleichen, dann gibt es eine Kreisfigur«, sagte Tante Julie.

»Oder eine Schlange, die sich in den Schwanz beißt«, sagte Dappi. »Und da wir gerade von Schlangen reden: Wer von euch beiden möchte denn ein Stück Räucheraal?«

Wieder lachten Tante Julie und ich über den verfressenen Dappi; aber diesmal begannen wir wirklich, die zweite Mahlzeit einzunehmen: Aal und Ei, Äpfel und Würste, Schiffszwieback und Kekse, Heringe und Schokolade. Dazu tranken wir Tee aus einer Thermosflasche.

Unter dem Essen fragte ich Dappi, wie er eigentlich den richtigen Kurs fände, wenn schlechtes Wetter wäre, und da stellte sich heraus, daß er einen Kompaß dabeihatte und eine Seekarte, in die auch alle Seefahrtszeichen eingetragen waren.

»Die Fahrt nach Sicht, die man bei gutem Wetter machen kann, ist mir natürlich die liebste«, sagte Dappi. »Aber ich kann auch nach dem Kompaß steuern. In diesem Augenblick zum Beispiel müßte ich eigentlich den Kompaß nehmen und den Kurs festlegen; aber da die ›Ashanti‹ aus der Elbe kommt, kann ich ihr folgen. Sie fährt bestimmt nach Helgoland.«

Tante Julie und ich hoben die Köpfe und sahen vor uns die uns allen wohlbekannte Hochseeyacht »Ashanti«, die seit Jahren jede Segelregatta gewann. Die Segel waren windgefüllt, aber nicht prall gebauscht. Der weiße Rumpf glitt, wie die Segler sagen, »schnittig« durch das Wasser.

Dappi hielt nun das Steuerruder so, daß wir im Kielwasser der Yacht forttuckerten. Natürlich war die »Ashanti« viel schneller als wir, und sie wurde rasch kleiner; aber als ihre Masten immer noch wie Streichhölzer zu sehen waren, tauchte rechts neben ihr ein Punkt auf, der beim Näherkommen stets an der gleichen Stelle blieb. Er wurde sehr bald kirschkerngroß, danach ein bißchen länglich-breit und sah am Ende wie ein dickes Nadelkissen mit zwei aufgesteckten Nadeln aus. Das war die Insel Helgoland mit ihrem Kirchturm und mit ihrem Leuchtturm. In knapp zwei Stunden würden wir daheim sein.

Das Aufwachsen der Insel vor uns, das ich an jenem Tag zum erstenmal in meinem Leben sah, nahm mich so sehr in Anspruch, daß ich kaum noch etwas sagte. Auch Tante Julie und Dappi blickten immerfort zur Insel hin, vor der die »Ashanti« gerade einen Bogen zog.

Es kamen nun auch Möwen zu uns hergeflogen, und die Insel kam uns immer näher. Bald konnten wir die Häuser auf dem Unterland und auf dem Oberland erkennen, dazu die weißen Boote im Wasser zwischen Brücke und Hafen und den hellen Streifen der Düne mit dem rot und weiß gestreiften Leuchtturm und die schlanke Felssäule, die »Lange Anna«, links neben der Insel.

Mir war ganz sonderbar zumute, als ich in diese kleine Inselwelt zurückfuhr, die ich zum erstenmal verlassen hatte. Ich sah sie nun fast wie mit fremden Augen an.

Aber dann, schon der Landungsbrücke nahe, war alles plötzlich wieder so, wie es immer gewesen war, und ich sah auf der Brücke meine Familie. Oberhalb der hölzernen Treppe, von der ich eine Woche vorher losgeschippert war zum Leuchtturm, erkannte ich meine Großmutter vom Unterland, die keine Gelegenheit zum Feiern ausließ, und zwei meiner Kusinen neben ihr. Hinter ihr standen meine Mutter und meine beiden Schwestern,

und vom Musikpavillon her sah ich meinen Vater mit meinem alten Urgroßvater zur Brücke schlendern.

»Du lieber Himmel, Boy«, rief Tante Julie, »die ganze Sippe hat sich ja versammelt! Du kriegst einen großen Bahnhof.«

Da zupfte ich meine Öljacke zurecht und sagte: »Das gehört sich auch so. Ich bin ja nun ein weitgereister Junge.«

# DIE TAGE, VERSE UND GESCHICHTEN
# DES BUCHES

5 **Der fünfte Tag,**
*an dem ich aus gegebenem Anlaß die Ballade von
Leif Eriksson, dem Amerikafahrer, höre, M. M. zwei
weitere Abenteuer von Tetjus Timm aufsage, Johann beim Entziffern einer traurigen Flaschenpost
helfe und die schöne Geschichte vom Tal der goldenen Hörner vernehme. Begrüßt Tante Julie und
Dappi als Leuchtturmgäste, läßt Balladen von versunkenen Städten und das erste Abenteuer von
Hans Hochhinaus hören und reizt am Schluß zum
Nachdenken über die Maus im Wohnzimmer.*

67 **Der sechste Tag,**
*an dem ich geplatzte Würstchen zum Frühstück
esse, das Lied vom Karussell der Wünsche vernehme, M. M. die letzten beiden Abenteuer von Tetjus
Timm vortrage, die Ballade vom Tod des Räubers
und das Lied von der Elbe höre und an zwei Beispielen lerne, was Geschichten auf Bestellung sind.*

Schildert, wie ich mit Tante Julie einen Hummer auf den Klippen entdecke, wie ich mich am Abend in Johanns Gästebuch eintrage und wie ich zum Schluß ein schönes Gedicht über den Leuchtturm auf den Hummerklippen vorlesen muß.

131 **Der siebente Tag,**
    *an dem ich bei Dunkelheit geweckt werde, wehmütig Abschied nehme von Johann und dem Leuchtturm, mit Tante Julie und Dappi heimfahre über das Meer und zusammen mit vier Möwen die Geschichte vom Wunschbaum höre. Beschreibt ein Sommergewitter auf offener See, präsentiert zwei Wunschgedichte und das letzte Abenteuer von Hans Hochhinaus und teilt zum Schluß mit, daß ich heimkehre als ein weitgereister Junge.*

Lizenzausgabe
als Ravensburger Taschenbuch Band 1562,
erschienen 1986

Die Originalausgabe erschien
im Verlag Friedrich Oetinger, Hamburg
© 1977 Verlag Friedrich Oetinger

Die vorliegende Fassung wurde vom Autor
gegenüber der Originalausgabe revidiert.

Umschlagillustration: Rolf Rettich

Alle Rechte dieser Ausgabe vorbehalten durch
Ravensburger Buchverlag Otto Maier GmbH
Gesamtherstellung: Ebner Ulm
Printed in Germany

6  5  4  3  2      91  90  89  88  87

ISBN 3-473-51562-0

# RTB Kinderliteratur

**RTB 224**  ab 8

**RTB 362**  ab 9

**RTB 728**  ab 8

**RTB 968**  ab 8

**RTB 1545**  ab 9

**RTB 1560**  ab 8

Ravensburger TaschenBücher

# RTB  Kinderliteratur

**RTB 566**   ab 10

**RTB 1533**   ab 10

**RTB 1537**   ab 10

**RTB 1563**   ab 10

**RTB 1567**   ab 11

**RTB 1595**   ab 12

# Ravensburger TaschenBücher

# Die Geschichten der 101 Tage von James Krüss

Der Band „Gäste auf den Hummerklippen" ist der zweite
im großen Krüss-Zyklus „Die Geschichten der 101 Tage" und
erzählt die Geschichten vom fünften bis siebenten Tag.
Der ganze Zyklus „Die Geschichten der 101 Tage" umfaßt
17 Bände, die alle in gleicher Ausstattung erscheinen:

## Ravensburger TaschenBücher